영재교육원 영재학급 관찰추천제 대비

5일 완성 프로젝트

안쌤의 창의적 문제해결력

과학 50제

중등 1~2 학년

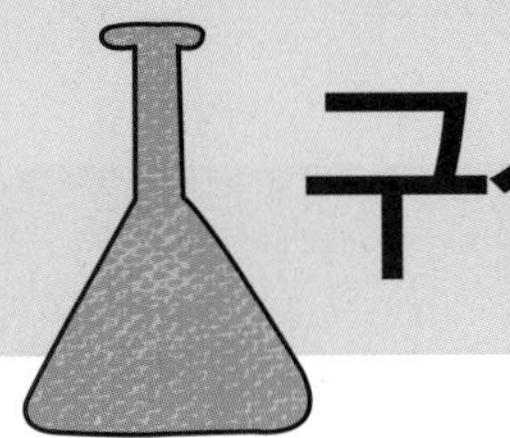

구성과 특징

과학 사고력

영재성검사, 창의적 문제해결력 검사 및 평가, 창의탐구력 검사에 출제되는 문제 유형입니다. 개념 이해력을 평가할 수 있는 교과 개념과 관련된 사고력 문제 유형과, 탐구 능력을 평가할 수 있는 실험과 관련된 탐구력 문제 유형으로 구성하였습니다.

과학 창의성

영재성검사, 창의적 문제해결력 검사 및 평가에 출제되는 문제 유형입니다. 창의성 평가 요소 중 유창성과 독창성 및 융통성을 평가할 수 있는 창의성 문제 유형으로 구성하였습니다. 유창성은 원활하고 민첩하게 사고하여 많은 양의 산출 결과를 내는 능력으로, 어떤 문제의 유효한 아이디어를 제한된 시간 내에 많이 쏟아내야 합니다. 독창성은 새롭고 독특한 아이디어를 산출해 내는 능력으로, 유창성 점수를 받은 유효한 아이디어 중 같은 학년의 학생들이 생각할 수 있는 아이디어가 아닌 특이하고 새로운 방식의 아이디어인 경우 추가로 점수를 받을 수 있습니다. 융통성은 생성해 낸 아이디어의 범주의 수를 의미하며, 다양한 각도에서 생각해야 합니다.

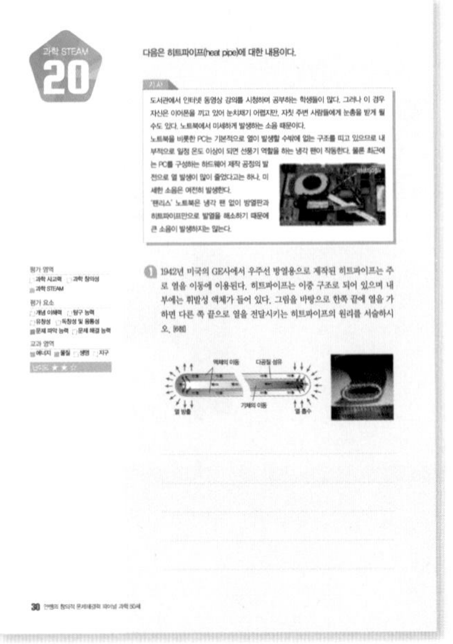

과학 STEAM

창의적 문제해결력 검사 및 평가, 창의탐구력 검사에 출제되는 신유형의 융합사고력 문제입니다. 융합사고력 문제는 단계적 문제 유형으로, 첫 번째 문제로 문제 파악 능력을 평가하고, 두 번째 문제로 파악한 문제의 해결 능력을 평가할 수 있는 유형으로 구성하였습니다.

채점표

강별 배점이 100점이 되도록 문항별 점수와 평가 영역별 점수를 구성하였습니다. 과학 사고력 문항은 개념 이해력과 탐구 능력을, 과학 창의성은 유창성과 독창성 및 융통성을, 과학 STEAM은 문제 파악 능력과 문제 해결 능력을 평가 영역으로 구성하였습니다. 또한 채점 결과에 따른 문제 유형별 공부 방법을 제시하였습니다.

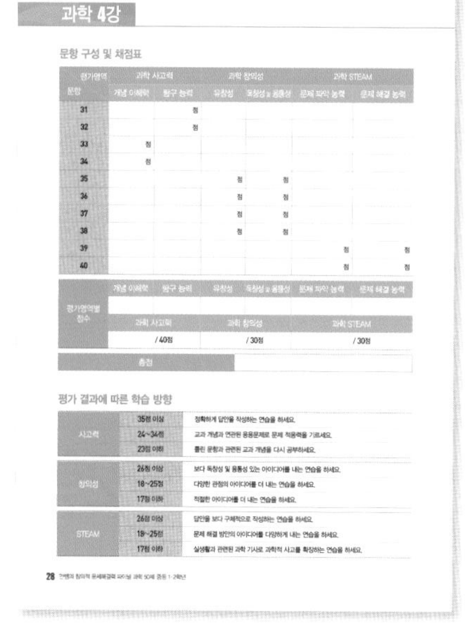

과학 4강

문항 구성 및 채점표

평가영역	과학 사고력		과학 창의성		과학 STEAM	
문항	개념 이해력	탐구 능력	유창성	독창성 및 융통성	문제 파악 능력	문제 해결 능력
31		점				
32		점				
33	점					
34	점					
35			점	점		
36			점	점		
37			점	점		
38			점	점		
39					점	점
40					점	점
평가영역별 점수	개념 이해력	탐구 능력	유창성	독창성 및 융통성	문제 파악 능력	문제 해결 능력
	과학 사고력		과학 창의성		과학 STEAM	
	/ 40점		/ 30점		/ 30점	
총점						

평가 결과에 따른 학습 방향

사고력	35점 이상	정확하게 답안을 작성하는 연습을 하세요.
	24~34점	교과 개념과 연관된 응용문제로 문제 적용력을 기르세요.
	23점 이하	틀린 문항과 관련된 교과 개념을 다시 공부하세요.
창의성	26점 이상	보다 독창성 및 융통성 있는 아이디어를 내는 연습을 하세요.
	18~25점	다양한 관점의 아이디어를 더 내는 연습을 하세요.
	17점 이하	적절한 아이디어를 더 내는 연습을 하세요.
STEAM	26점 이상	답안을 보다 구체적으로 작성하는 연습을 하세요.
	18~25점	문제 해결 방안의 아이디어를 다양하게 내는 연습을 하세요.
	17점 이하	실생활과 관련된 과학 기사로 과학적 사고를 확장하는 연습을 하세요.

28 안쌤의 창의적 문제해결력 파이널 과학 50제 중등 1·2학년

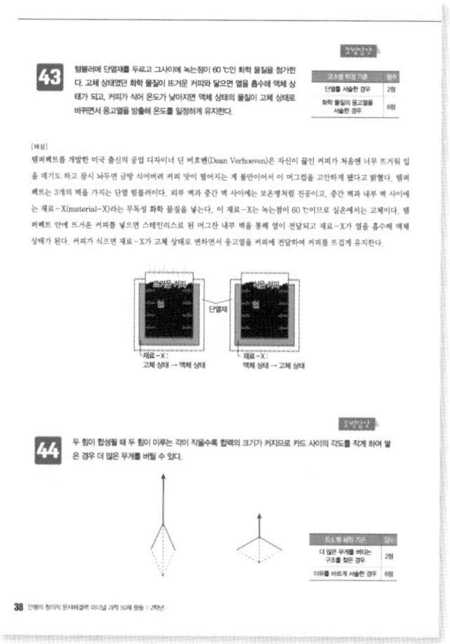

43 텀블러에 단열재를 두르고 그사이에 녹는점이 60 ℃인 화학 물질을 첨가한다. 고체 상태였던 화학 물질이 뜨거운 커피와 닿으면 열을 흡수해 액체 상태가 되고, 커피가 식어 온도가 낮아지면 액체 상태의 물질이 고체 상태로 바뀌면서 응고열을 방출해 온도를 일정하게 유지한다.

요소별 채점 기준	점수
단열을 서술한 경우	2점
화학 물질의 응고열을 서술한 경우	6점

[해설]
템퍼펙트를 개발한 미국 출신의 공업 디자이너 딘 버호벤(Dean Verhoeven)은 자신이 끓인 커피가 처음엔 너무 뜨거워 입을 데기도 하고 잠시 놔두면 금방 식어버려 커피 맛이 떨어지는 게 불만이어서 이 머그컵을 고안하게 됐다고 밝혔다. 템퍼펙트는 3개의 벽을 가지는 단열 텀블러이다. 외부 벽과 중간 벽 사이에는 보온병처럼 진공이고, 중간 벽과 내부 벽 사이에는 재료-X(material-X)라는 무독성 화학 물질을 넣는다. 이 재료-X는 녹는점이 60 ℃이므로 실온에서는 고체이다. 템퍼펙트 안에 뜨거운 커피를 넣으면 스테인리스로 된 머그잔 내부 벽을 통해 열이 전달되고 재료-X가 열을 흡수해 액체 상태가 된다. 커피가 식으면 재료-X가 고체 상태로 변하면서 응고열을 커피에 전달하여 커피를 뜨겁게 유지한다.

단열재
재료-X: 고체 상태 → 액체 상태
재료-X: 액체 상태 → 고체 상태

44 두 힘이 합성될 때 두 힘이 이루는 각이 작을수록 합력의 크기가 커지므로 카드 사이의 각도를 작게 하여 쌓은 경우 더 많은 무게를 버틸 수 있다.

요소별 채점 기준	점수
더 많은 무게를 버티는 구조를 찾은 경우	2점
이유를 바르게 서술한 경우	6점

38 안쌤의 창의적 문제해결력 파이널 과학 50제 중등 1·2학년

서술형 채점 기준

영재성검사, 창의적 문제해결력 검사 및 평가, 창의탐구력 검사에 출제되는 문제는 모두 서술형입니다. 부분 점수가 없는 객관식과 달리 서술형은 문제에서 요구하는 평가 요소들을 모두 넣어서 답안을 작성했는지에 따라 점수가 달라집니다. 자신의 답안을 채점 기준에 맞게 채점해 보면 서술형 답안 작성 방법을 연습할 수 있습니다.

부록 50제 시리즈로 대비할 수 있는 과학 대회 안내

다양한 과학 대회들 중 어떻게 대회를 준비해야 하는지 고민하시는 분들을 위해 50제 시리즈로 대비할 수 있는 과학 대회를 정리했습니다. 이 대회들은 영재교육원 문제 유형과 유사해서 미리 영재교육원 입시를 경험할 수 있고 실력을 체크할 수 있습니다. 각 대회의 기출 문제와 영재교육원 각 단계별 기출 문제를 같이 수록했습니다.를 소개하고 기출 문제 및 출제 문제 유형을 같이 수록했습니다.

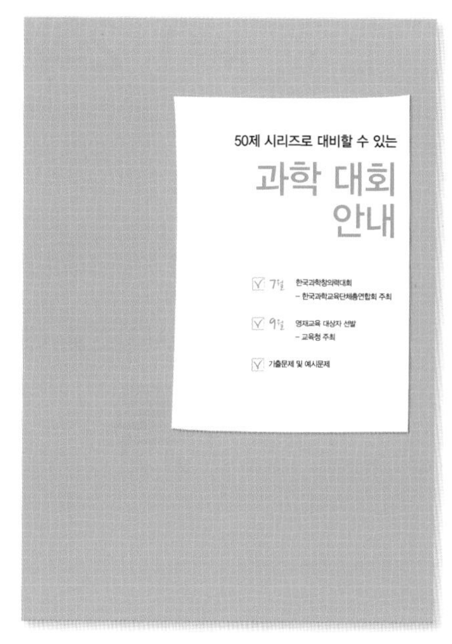

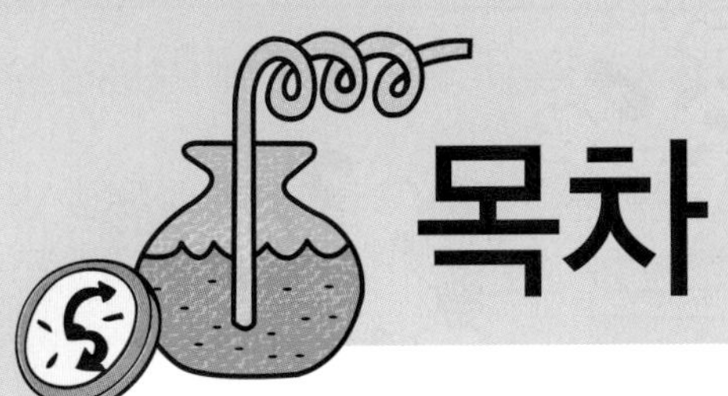

목차

안쌤의 창의적 문제해결력

파이널 50제

과학 1

중등

1·2

학년

평가 영역

■ 과학 사고력 □ 과학 창의성
□ 과학 STEAM

평가 요소

■ 개념 이해력 □ 탐구 능력
□ 유창성 □ 독창성 및 융통성
□ 문제 파악 능력 □ 문제 해결 능력

교과 영역

□ 에너지 □ 물질 □ 생명 ■ 지구

난이도 ★ ★ ☆

지구 내부 구조를 층으로 구분했을 때 가장 바깥쪽의 표면을 구성하는 부분을 지각이라고 한다. 지각은 대륙 지각과 해양 지각으로 나누어지고, 지각은 오랜 시간에 걸쳐 서서히 움직이며 다양한 변화를 일으키고 있다. 지구의 나이는 약 46억 년이고 대륙 지각은 40억 년이나 되는 데 비해서 해양 지각은 약 2억 년 이하이다. 그 이유를 서술하시오. [8점]

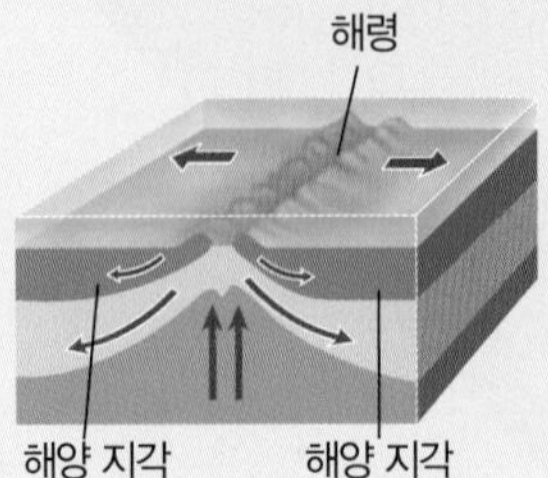

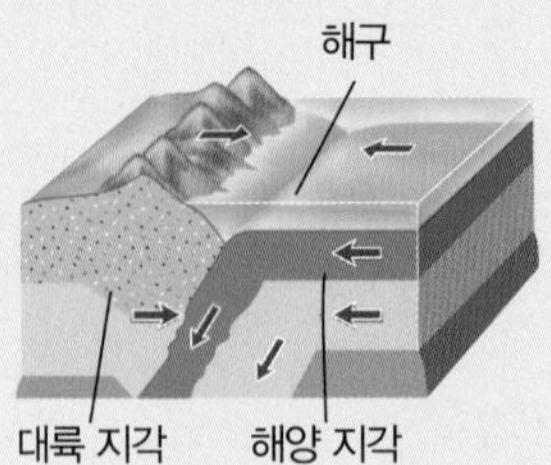

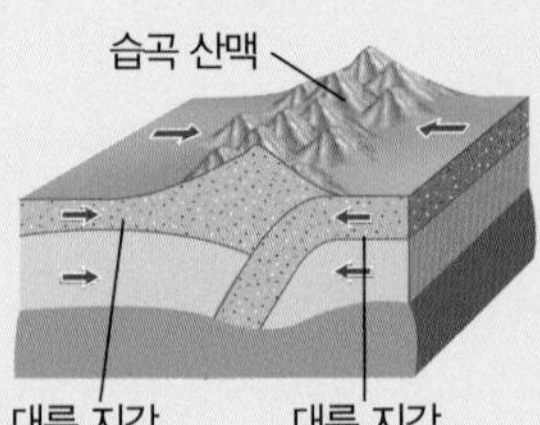

평가 영역

■ 과학 사고력 □ 과학 창의성
□ 과학 STEAM

평가 요소

■ 개념 이해력 □ 탐구 능력
□ 유창성 □ 독창성 및 융통성
□ 문제 파악 능력 □ 문제 해결 능력

교과 영역

□ 에너지 □ 물질 ■ 생명 □ 지구

난이도 ★ ☆ ☆

추석이 빠른 해인 경우, 과수원은 과일 출하에 신경을 많이 쓴다. 특히 추석 선물용으로 많이 사용되는 과일의 경우 때를 맞추기 위하여 모든 방법과 정성을 쏟는다. 그중 한 방법으로 원줄기 부분을 폭 6 cm 안팎으로 환상박피를 시킨다. 환상박피가 과일의 생장에 미치는 영향을 서술하시오. [8점]

평가 영역

■ 과학 사고력 □ 과학 창의성
□ 과학 STEAM

평가 요소

□ 개념 이해력 ■ 탐구 능력
□ 유창성 □ 독창성 및 융통성
□ 문제 파악 능력 □ 문제 해결 능력

교과 영역

□ 에너지 □ 물질 ■ 생명 □ 지구

난이도 ★ ★ ☆

시금치 잎을 이용하여 광합성을 실험하였다.

① 암실에서 보관한 시금치 잎의 잎맥이 없는 부분을 펀치를 이용하여 작게 잘라 잎판을 만든다.

② 잎판을 1 % 탄산수소 나트륨 수용액이 든 주사기에 넣는다.

③ 주사기 구멍을 막고 피스톤을 당기는 과정을 반복하여 잎판이 바닥으로 가라앉게 한다.

④ 가라앉은 잎판을 1 % 탄산수소 나트륨 수용액이 있는 3개의 페트리 접시에 같은 수로 나눠 담는다.

⑤ 페트리 접시 하나는 암실에, 다른 하나는 광원으로부터 10 cm, 다른 하나는 30 cm 아래에 둔다.

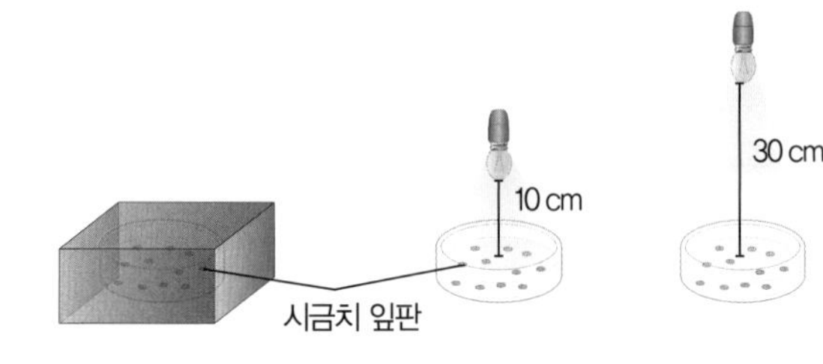

세 개의 페트리 접시 안에 담긴 시금치 잎판의 변화를 이유와 함께 서술하시오. [8점]

평가 영역

■ 과학 사고력 □ 과학 창의성
□ 과학 STEAM

평가 요소

■ 개념 이해력 □ 탐구 능력
□ 유창성 □ 독창성 및 융통성
□ 문제 파악 능력 □ 문제 해결 능력

교과 영역

■ 에너지 □ 물질 □ 생명 □ 지구

난이도 ★ ★ ★

제2우주속도인 지구탈출속도는 11.2 km/s로, 서울에서 부산까지 가는데 1분도 채 걸리지 않는 속도이다. 그러나 나로호는 11.2 km/s의 속도로 발사되지 않았다. 실제로 우주선은 지구탈출속도로 발사되지 않아도 지구 탈출이 가능하다. 그 이유를 두 가지 서술하시오. [8점]

평가 영역

□ 과학 사고력 ■ 과학 창의성
□ 과학 STEAM

평가 요소

□ 개념 이해력 □ 탐구 능력
■ 유창성 ■ 독창성 및 융통성
□ 문제 파악 능력 □ 문제 해결 능력

교과 영역

□ 에너지 □ 물질 □ 생명 ■ 지구

난이도 ★★☆

황철석은 철과 황으로 구성된 광물이다. 황철석은 매우 반짝이는 육면체 금속 결정들이 모여 있어 아름답고 금색을 띠기 때문에 금을 보는 듯 하다. 잘 알지 못하는 사람들이 자연에서 황철석을 채굴하면 금을 발견한 줄로 착각하기 때문에 '바보들의 금'이라는 별명이 붙었다. 황철석과 금을 구별할 수 있는 방법을 세 가지 서술하시오. [10점]

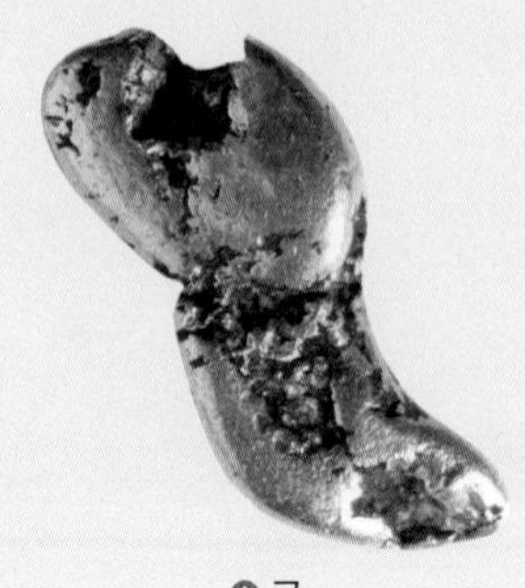

⊙ 금

⊙ 황철석

①

②

③

평가 영역

□ 과학 사고력 ■ 과학 창의성
□ 과학 STEAM

평가 요소

□ 개념 이해력 □ 탐구 능력
■ 유창성 ■ 독창성 및 융통성
□ 문제 파악 능력 □ 문제 해결 능력

교과 영역

□ 에너지 □ 물질 ■ 생명 □ 지구

난이도 ★★★

묘목을 심거나 다른 곳에서 자란 나무를 옮겨 심을 때 주의해야 할 점을 다섯 가지 서술하시오. [10점]

1

2

3

4

5

평가 영역

□ 과학 사고력 ■ 과학 창의성
□ 과학 STEAM

평가 요소

□ 개념 이해력 □ 탐구 능력
■ 유창성 ■ 독창성 및 융통성
□ 문제 파악 능력 □ 문제 해결 능력

교과 영역

■ 에너지 □ 물질 □ 생명 □ 지구

난이도 ★ ★ ☆

우주 정거장이나 달에서의 운동 경기는 지구에서 하는 것과 다른 점이 많다. 지구 중력보다 작은 달에서 올림픽이 열린다면 야구 경기 규칙 중 수정해야 할 것을 세 가지 서술하시오. [10점]

①

②

③

평가 영역
□ 과학 사고력 ■ 과학 창의성
□ 과학 STEAM

평가 요소
□ 개념 이해력 □ 탐구 능력
■ 유창성 ■ 독창성 및 융통성
□ 문제 파악 능력 □ 문제 해결 능력

교과 영역
■ 에너지 □ 물질 □ 생명 □ 지구

난이도 ★ ★ ☆

겨울철에는 눈이나 비가 얼어붙어 지면과 신발의 마찰이 줄어들어 낙상 사고가 자주 발생하고, 여름철에는 물이 지면과 신발의 마찰을 줄여 낙상 사고가 자주 발생한다. 여름 또는 겨울에 미끄럼을 방지할 수 있는 미끄럼 방지 신발을 세 가지 고안하시오. [10점]

①

②

③

다음은 지구의 허파로 불리는 아마존 강 유역의 열대 우림에 관한 내용이다.

기사

아마존 열대 우림은 브라질과 페루, 콜롬비아, 베네수엘라, 에콰도르, 볼리비아 등 아마존 강 유역 9개 나라에 걸쳐 있는 세계에서 가장 큰 열대 우림이다. 면적이 한반도 면적의 25배인 550만 km^2로 전 세계 열대 우림의 절반 정도를 차지하고 있다.

지구의 허파로 알려진 아마존 열대 우림은 특히 온실가스인 이산화 탄소를 흡수하고 저장하는 데 결정적인 역할을 한다. 현재 아마존 유역의 식물과 토양에는 5,550억~7,400억 톤의 이산화 탄소가 저장돼 있다. 2014년 전 세계 화석 연료 사용과 토지 사용 변화로 인한 이산화 탄소 배출량이 320억 톤 정도임을 고려하면 매년 인간 활동으로 배출되는 이산화 탄소량의 20배 정도가 아마존 유역에 저장돼 있는 것이다.

최근 이산화 탄소 보관창고 역할을 하는 아마존 열대 우림의 이산화 탄소 흡수 능력이 크게 떨어진 것으로 나타났다. 심지어 아마존 열대 우림에서 흡수하는 이산화 탄소량이 남미에서 배출하는 이산화 탄소량보다도 오히려 적은 것으로 나타났다.

평가 영역

□ 과학 사고력 □ 과학 창의성
■ 과학 STEAM

평가 요소

□ 개념 이해력 □ 탐구 능력
□ 유창성 □ 독창성 및 융통성
■ 문제 파악 능력 □ 문제 해결 능력

교과 영역

□ 에너지 ■ 물질 □ 생명 ■ 지구

난이도 ★★☆

1 지구의 허파라고 불리는 아마존 열대 우림의 이산화 탄소 흡수 능력이 떨어진 이유를 두 가지 서술하시오. [6점]

평가 영역

□ 과학 사고력 □ 과학 창의성
■ 과학 STEAM

평가 요소

□ 개념 이해력 □ 탐구 능력
□ 유창성 □ 독창성 및 융통성
□ 문제 파악 능력 ■ 문제 해결 능력

교과 영역

□ 에너지 □ 물질 ■ 생명 ■ 지구

난이도 ★ ★ ☆

2 열대 우림이 사라질 경우 나타날 수 있는 현상을 다섯 가지 서술하시오. [8점]

1

2

3

4

5

다음은 사이클로이드 곡선에 관한 내용이다.

기사

한 남자 어린이가 워터파크의 슬라이더를 이용하던 중 안전요원이 이용객의 간격 조절을 하지 않아 뒤따라 내려온 아이와 충돌하여 오른쪽 다리가 골절됐다. 워터파크나 놀이터의 슬라이더는 직선 형태로 만드는 것보다 사이클로이드 형태로 만들게 되면 더 빨리 내려오기 때문에 더 큰 스릴을 맛볼 수 있다.

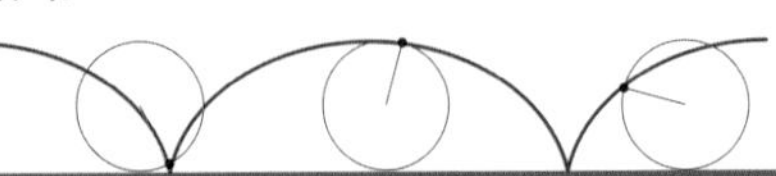

사이클로이드는 구르는 원 위에 있는 한 정점이 움직이는 자취이다. 사이클로이드 위에 여러 개의 공을 거리를 두고 놓으면 공들이 바닥으로 동시에 도착한다. 즉, 사이클로이드 위에 놓인 물체는 거리와 관계없이 바닥에 동시에 떨어진다. 이런 이유로 워터파크의 미끄럼틀은 반드시 앞사람이 미끄럼틀을 떠난 다음 내려와야 충돌 사고가 나지 않는다.

평가 영역
□ 과학 사고력 □ 과학 창의성
■ 과학 STEAM

평가 요소
□ 개념 이해력 □ 탐구 능력
□ 유창성 □ 독창성 및 융통성
■ 문제 파악 능력 □ 문제 해결 능력

교과 영역
■ 에너지 □ 물질 □ 생명 □ 지구

난이도 ★★★

1 직선보다 사이클로이드 곡선으로 이동하는 경우 더 빨리 도착하는 이유를 서술하시오. [6점]

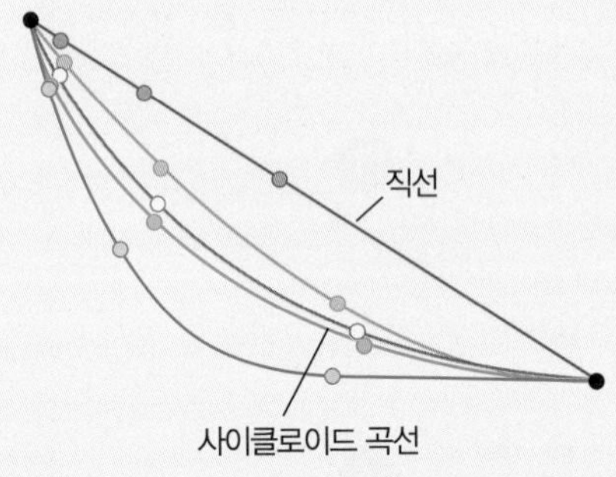

평가 영역

□ 과학 사고력 □ 과학 창의성
■ 과학 STEAM

평가 요소

□ 개념 이해력 □ 탐구 능력
□ 유창성 □ 독창성 및 융통성
□ 문제 파악 능력 ■ 문제 해결 능력

교과 영역

■ 에너지 □ 물질 □ 생명 □ 지구

난이도 ★★★

2 워터슬라이드 외에 사이클로이드 곡선을 이용하면 좋을 곳을 이유와 함께 세 가지 서술하시오. [8점]

1

2

3

안쌤의 창의적 문제해결력
파이널 과학 50제
1강

안쌤의 창의적 문제해결력
파이널 50제
과학 2

중등
1·2
학년

평가 영역

■ 과학 사고력 □ 과학 창의성
□ 과학 STEAM

평가 요소

■ 개념 이해력 □ 탐구 능력
□ 유창성 □ 독창성 및 융통성
□ 문제 파악 능력 □ 문제 해결 능력

교과 영역

■ 에너지 □ 물질 □ 생명 □ 지구

난이도 ★ ★ ☆

최초의 온도계를 만든 사람은 갈릴레이이다. 1603년 갈릴레이는 유리관의 둥근 부분을 손으로 데운 후 물이 담긴 그릇 속에 거꾸로 세워두었는데 이것이 공기를 이용한 기체 온도계이다. 최초의 온도계는 대기압의 영향을 받아 정확한 온도를 측정하기 힘들었다고 한다. 기체 온도계로 온도를 측정할 수 있는 원리를 서술하시오. [8점]

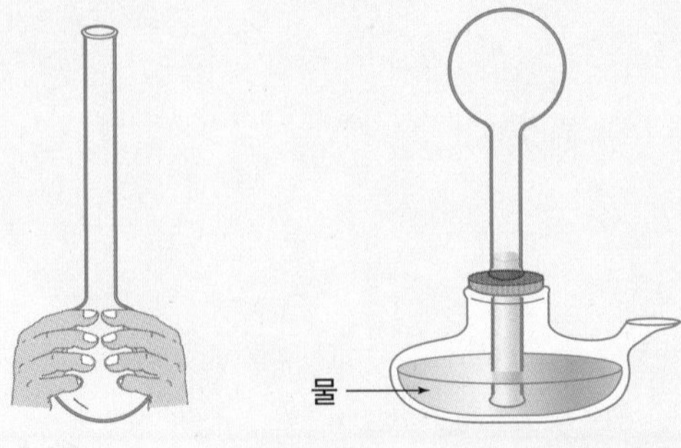

평가 영역

■ 과학 사고력 □ 과학 창의성
□ 과학 STEAM

평가 요소

■ 개념 이해력 □ 탐구 능력
□ 유창성 □ 독창성 및 융통성
□ 문제 파악 능력 □ 문제 해결 능력

교과 영역

■ 에너지 □ 물질 □ 생명 □ 지구

난이도 ★ ★ ☆

과학 2강

크리스마스트리에 장식되는 전구는 전구들이 번갈아가면서 화려한 빛으로 깜박거린다. 전구가 깜박이게 할 수 있는 방법과 원리를 서술하시오. [8점]

과학 사고력

13

평가 영역

■ 과학 사고력 □ 과학 창의성
□ 과학 STEAM

평가 요소

□ 개념 이해력 ■ 탐구 능력
□ 유창성 □ 독창성 및 융통성
□ 문제 파악 능력 □ 문제 해결 능력

교과 영역

□ 에너지 □ 물질 □ 생명 ■ 지구

난이도 ★ ★ ☆

재민이는 수온의 연직분포를 알아보기 위하여 다음과 같이 실험하였다. 전등을 비추기 전, 전등을 비추었을 때, 수면 위를 부채질했을 때의 수온 연직분포 결과를 각각 서술하시오. [8점]

① 비커에 물을 70 % 가량 채운 후 온도계를 수면에서 깊이 1 cm, 3 cm, 5 cm, 7 cm, 9 cm 간격으로 스탠드에 매달고, 각 깊이에서 처음 물의 온도를 측정한다.

② 수면 15 cm 높이에서 전등을 비추고 온도 변화가 나타나지 않을 때, 각 깊이에서 물의 온도를 측정한다.

③ 전등을 켠 채 수면 위를 약 3분간 부채질을 한 후 물의 온도를 측정한다.

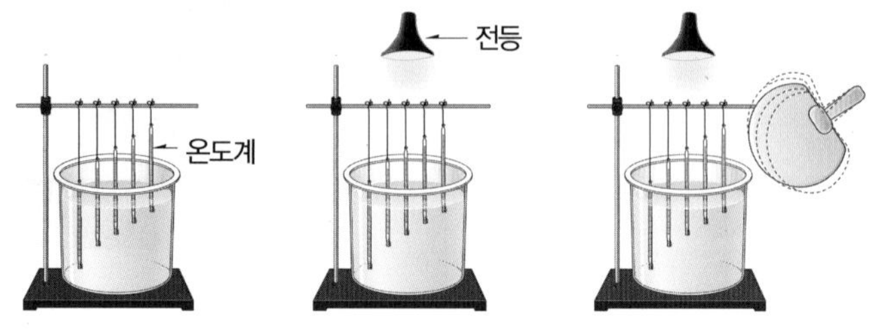

• 전등을 비추기 전 :

• 전등을 비추었을 때 :

• 수면 위를 부채질 했을 때 :

평가 영역

■ 과학 사고력 □ 과학 창의성
□ 과학 STEAM

평가 요소

■ 개념 이해력 □ 탐구 능력
□ 유창성 □ 독창성 및 융통성
□ 문제 파악 능력 □ 문제 해결 능력

교과 영역

□ 에너지 □ 물질 □ 생명 ■ 지구

난이도 ★ ★ ★

일정한 방향으로 지속적으로 흐르는 해수의 흐름을 해류라고 한다. 해류는 같은 방향으로 부는 지속적인 바람에 의한 표층 해류와 바람의 영향이 미치지 않는 깊은 바다에서 수온과 염분 차이에 의해 흐르는 심층 순환이 있다. 지구 온난화가 해류에 미치는 영향을 서술하시오. [8점]

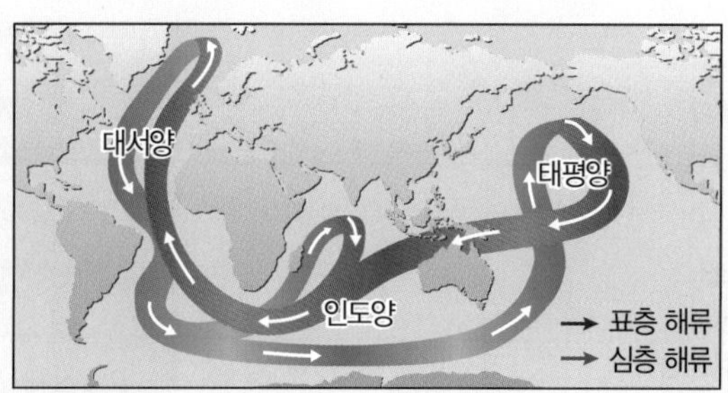

평가 영역

□ 과학 사고력 ■ 과학 창의성
□ 과학 STEAM

평가 요소

□ 개념 이해력 □ 탐구 능력
■ 유창성 ■ 독창성 및 융통성
□ 문제 파악 능력 □ 문제 해결 능력

교과 영역

□ 에너지 ■ 물질 □ 생명 □ 지구

난이도 ★ ★ ☆

비닐봉지 끝에 철사를 동그랗게 만들어 기본 틀을 만들고 은박 접시 네 군데에 철사를 붙인 후 비닐봉지 한가운데 오도록 고정시킨다. 은박 접시에 알코올을 적신 솜을 올리고 불을 붙여 날리면 열기구가 만들어진다. 열기구가 높이 날 수 있는 방법을 세 가지 서술하시오. [10점]

1

2

3

물리 치료용으로 사용되는 액체 파라핀에 손을 담갔다가 꺼내면 액체 파라핀이 손주변에서 굳으면서 온찜질을 할 수 있어 관절의 통증을 완화시킬 수 있다. 일상생활 속에서 액체 파라핀 온찜질과 같은 상태 변화를 이용하는 경우를 세 가지 서술하시오. [10점]

평가 영역

□ 과학 사고력 ■ 과학 창의성
□ 과학 STEAM

평가 요소

□ 개념 이해력 □ 탐구 능력
■ 유창성 ■ 독창성 및 융통성
□ 문제 파악 능력 □ 문제 해결 능력

교과 영역

□ 에너지 ■ 물질 □ 생명 □ 지구

난이도 ★ ☆ ☆

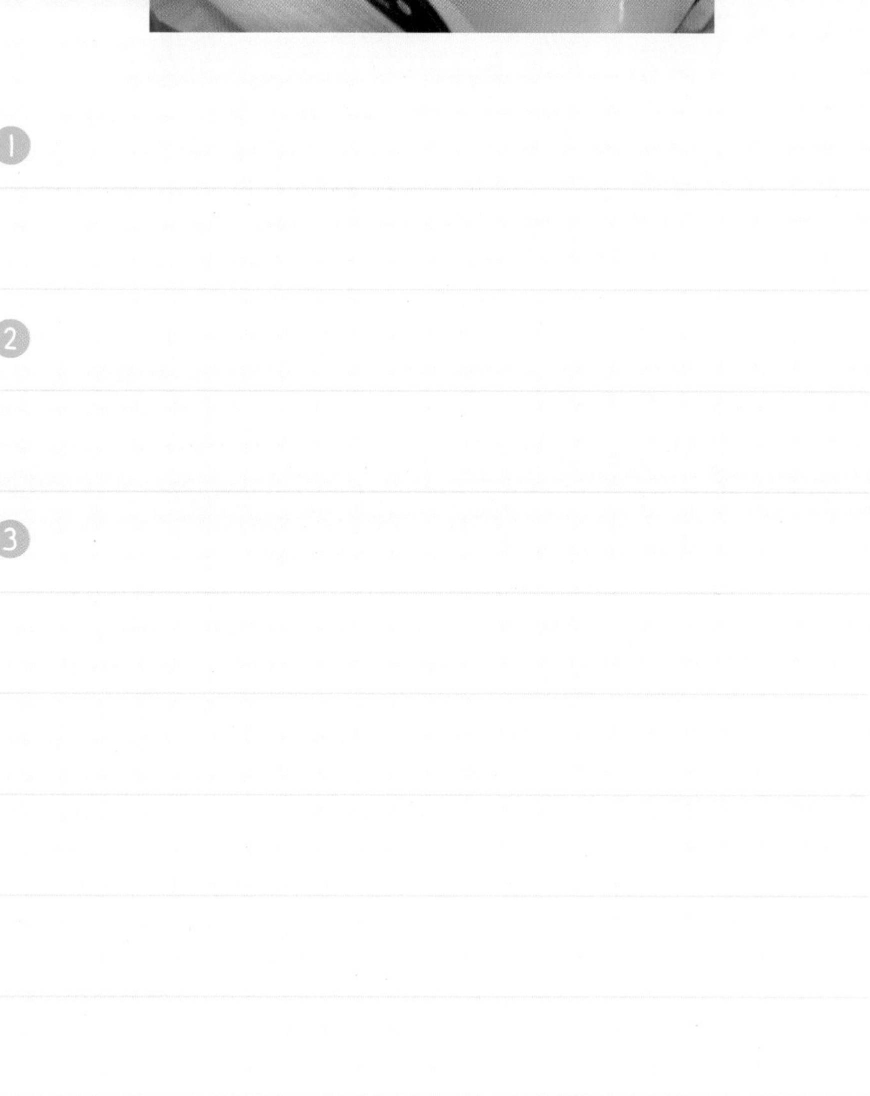

평가 영역

□ 과학 사고력 ■ 과학 창의성
□ 과학 STEAM

평가 요소

□ 개념 이해력 □ 탐구 능력
■ 유창성 ■ 독창성 및 융통성
□ 문제 파악 능력 □ 문제 해결 능력

교과 영역

■ 에너지 □ 물질 □ 생명 □ 지구

난이도 ★ ★ ☆

프랑스 파리에 있는 에펠탑의 높이는 324 m로 알려져 있다. 하지만 이 높이는 계절에 따라 달라진다. 에펠탑은 여름에 가장 더운 날 12 cm 정도 더 길어져 햇빛을 받는 반대쪽으로 기울어진다. 더운 여름에 에펠탑이 한쪽으로 휘지 않게 하기 위한 방법을 두 가지 서술하시오. [10점]

1

2

평가 영역

☐ 과학 사고력 ■ 과학 창의성
☐ 과학 STEAM

평가 요소

☐ 개념 이해력 ☐ 탐구 능력
■ 유창성 ■ 독창성 및 융통성
☐ 문제 파악 능력 ☐ 문제 해결 능력

교과 영역

☐ 에너지 ☐ 물질 ☐ 생명 ■ 지구

난이도 ★★☆

다음은 우리나라 주변 바다의 염분 분포를 나타낸 것이다. 우리나라 주변 바다의 염분 분포의 특징을 원인과 함께 세 가지 서술하시오. [10점]

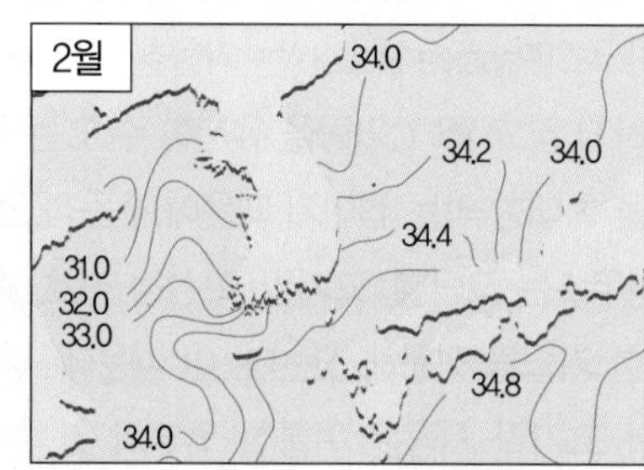

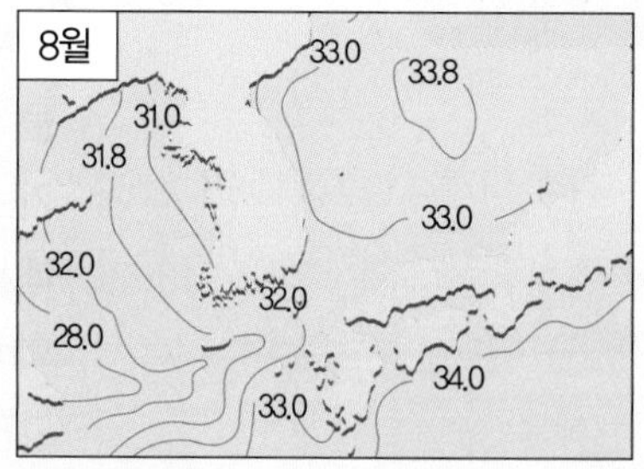

①

②

③

다음은 냉 · 난방비를 줄인 패시브하우스에 대한 기사이다.

기사

패시브하우스(Passive House)는 겨울철 난방에너지 절감은 물론, 한여름에도 냉방시설을 사용하지 않고 26 ℃가량을 유지할 수 있는 주택을 말한다. 에너지가 밖으로 빠져나가는 것을 최대한 막는 집이기 때문에 수동적(passive)이라는 이름을 붙였다.

패시브하우스는 고단열, 고기밀, 고성능 창호, 폐열회수 환기시스템, 외부 차양장치 등의 다양한 기술을 적용해 짓는다. 이 가운데 고단열과 고기밀 시공은 여름철 외부의 열을 효율적으로 차단해준다. 벽을 통해 실내로 들어오는 외부 열기가 최소화되는 셈이다. 아울러 실내의 냉기는 최대한 보존돼 에어컨을 최소한으로 가동하더라도 시원한 실내 온도를 확보할 수 있다.

평가 영역

□ 과학 사고력 □ 과학 창의성
■ 과학 STEAM

평가 요소

□ 개념 이해력 □ 탐구 능력
□ 유창성 □ 독창성 및 융통성
■ 문제 파악 능력 □ 문제 해결 능력

교과 영역

■ 에너지 □ 물질 ■ 생명 □ 지구

난이도 ★★☆

1 패시브하우스는 옥상에 풀이나 식물을 심어 녹화 작업을 하기도 한다. 녹화 작업이 실내 온도를 조절하는 원리를 서술하시오. [6점]

평가 영역

□ 과학 사고력 □ 과학 창의성
■ 과학 STEAM

평가 요소

□ 개념 이해력 □ 탐구 능력
□ 유창성 □ 독창성 및 융통성
□ 문제 파악 능력 ■ 문제 해결 능력

교과 영역

■ 에너지 ■ 물질 □ 생명 □ 지구

난이도 ★★★

2 다음은 패시브하우스 개념도이다. 패시브하우스는 냉방 시설을 사용하지 않고도 한여름에 외부의 뜨거운 열에너지가 실내로 들어오는 것을 막고 내부의 공기를 시원하게 유지해 주는 것이 핵심이다. 패시브하우스가 실내를 시원하게 하는 방법을 세 가지 서술하시오. [8점]

[패시브하우스 개념도]

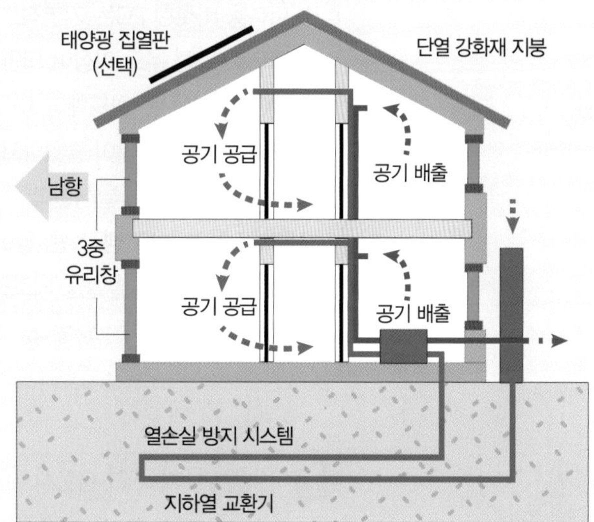

①

②

③

과학 2강

다음은 히트파이프(heat pipe)에 대한 내용이다.

기사

도서관에서 인터넷 동영상 강의를 시청하며 공부하는 학생들이 많다. 그러나 이 경우 자신은 이어폰을 끼고 있어 눈치채기 어렵지만, 자칫 주변 사람들에게 눈총을 받게 될 수도 있다. 노트북에서 미세하게 발생하는 소음 때문이다.

노트북을 비롯한 PC는 기본적으로 열이 발생할 수밖에 없는 구조를 띠고 있으므로 내부적으로 일정 온도 이상이 되면 선풍기 역할을 하는 냉각 팬이 작동한다. 물론 최근에는 PC를 구성하는 하드웨어 제작 공정의 발전으로 열 발생이 많이 줄었다고는 하나, 미세한 소음은 여전히 발생한다.

'팬리스' 노트북은 냉각 팬 없이 방열판과 히트파이프만으로 발열을 해소하기 때문에 큰 소음이 발생하지는 않는다.

평가 영역
- □ 과학 사고력 □ 과학 창의성
- ■ 과학 STEAM

평가 요소
- □ 개념 이해력 □ 탐구 능력
- □ 유창성 □ 독창성 및 융통성
- ■ 문제 파악 능력 □ 문제 해결 능력

교과 영역
- ■ 에너지 ■ 물질 □ 생명 □ 지구

난이도 ★ ★ ☆

1 1942년 미국의 GE사에서 우주선 방열용으로 제작된 히트파이프는 주로 열의 이동에 이용된다. 히트파이프는 이중 구조로 되어 있으며 내부에는 휘발성 액체가 들어 있다. 그림을 바탕으로 한쪽 끝에 열을 가하면 다른 쪽 끝으로 열을 전달시키는 히트파이프의 원리를 서술하시오. [6점]

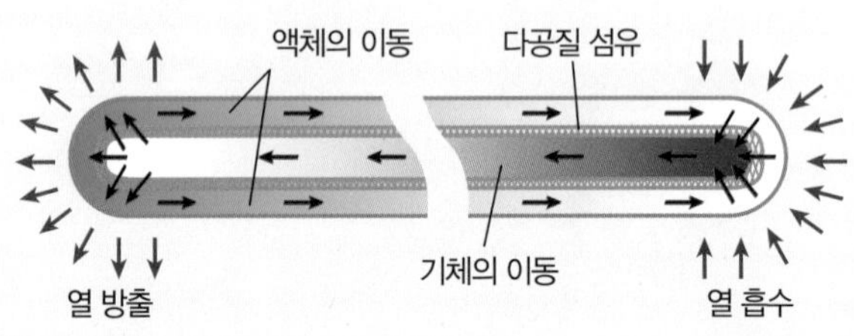

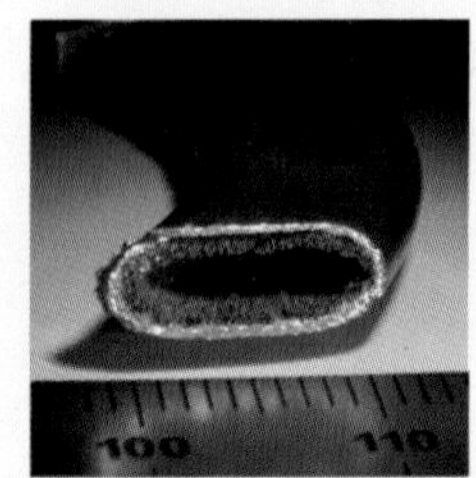

평가 영역

□ 과학 사고력 □ 과학 창의성
■ 과학 STEAM

평가 요소

□ 개념 이해력 □ 탐구 능력
□ 유창성 □ 독창성 및 융통성
□ 문제 파악 능력 ■ 문제 해결 능력

교과 영역

■ 에너지 ■ 물질 □ 생명 □ 지구

난이도 ★★☆

2 열전달 능력이 뛰어난 히트파이프를 활용할 수 있는 방법을 세 가지 서술하시오. [8점]

1

2

3

안쌤의 창의적 문제해결력
파이널 과학 50제 2강

안쌤의 창의적 문제해결력

파이널 50제

과학 3

중등

1·2

학년

평가 영역

■ 과학 사고력 □ 과학 창의성
□ 과학 STEAM

평가 요소

■ 개념 이해력 □ 탐구 능력
□ 유창성 □ 독창성 및 융통성
□ 문제 파악 능력 □ 문제 해결 능력

교과 영역

■ 에너지 □ 물질 □ 생명 □ 지구

난이도 ★ ★ ☆

사람의 시야 범위는 시선으로부터의 각도로 나타낸다. 사람의 눈은 공기 중에서 한쪽 눈의 눈동자를 움직이지 않고 정지한 상태에서 약 85°를 본다. 사람이 물속에서 물 밖을 본다면 공기 중에서 볼 때와 시야 각도에 어떤 차이가 있는지 그림과 함께 서술하시오. [8점]

평가 영역

■ 과학 사고력 □ 과학 창의성
□ 과학 STEAM

평가 요소

□ 개념 이해력 ■ 탐구 능력
□ 유창성 □ 독창성 및 융통성
□ 문제 파악 능력 □ 문제 해결 능력

교과 영역

□ 에너지 ■ 물질 □ 생명 □ 지구

난이도 ★★☆

어떤 물질 속에 들어있는 이온 혼합물을 분리하기 위해 앙금 생성 반응을 이용하기도 한다. Na^{+}, Ag^{+}, Ca^{2+}, Pb^{2+}을 포함한 혼합 용액에서 성분 이온들을 차례대로 분리할 수 있는 방법을 서술하시오. [8점]

평가 영역

■ 과학 사고력 □ 과학 창의성
□ 과학 STEAM

평가 요소

□ 개념 이해력 ■ 탐구 능력
□ 유창성 □ 독창성 및 융통성
□ 문제 파악 능력 □ 문제 해결 능력

교과 영역

□ 에너지 □ 물질 ■ 생명 □ 지구

난이도 ★ ★ ☆

경현이는 침의 소화 작용을 알아보기 위해 다음과 같이 실험하였다.

① 시험관 A, B, C, D, E, F에 녹말 용액을 각각 5 mL씩 넣는다.
② 시험관 A, B, C에 아이오딘-아이오딘화 칼륨 용액을 한 방울씩 떨어뜨린다.
③ 시험관 A, D에는 증류수를 3 mL, 시험관 B, E에는 침 용액을 3 mL, 시험관 C, F에는 끓인 침 용액을 3 mL 넣는다.
④ 37 ℃ 정도의 따뜻한 물이 들어 있는 비커에 6개의 시험관을 20분 동안 담가둔 후, 시험관 A, B, C의 색깔 변화를 관찰한다.
⑤ 시험관 D, E, F에 베네딕트 용액을 넣고 가열한 후, 색깔 변화를 관찰한다.

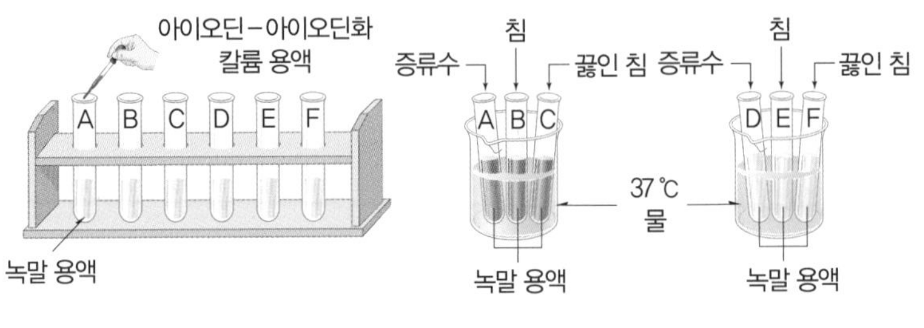

각 시험관의 변화를 이유와 함께 서술하시오. [8점]

• 시험관 A :

• 시험관 B :

• 시험관 C :

• 시험관 D :

• 시험관 E :

• 시험관 F :

지구 온난화의 주된 원인으로 인정되고 있는 것은 이산화 탄소에 의한 온실 효과이다. 온실 효과를 나타내는 기체에는 이산화 탄소만 있는 것이 아니다. 수증기, 메테인, 질소 산화물 등도 강한 온실 효과를 나타내는 온실 기체이다. 많은 온실 기체 중 이산화 탄소에 대해서 많은 관심을 기울이는 이유를 추리하여 서술하시오. [8점]

평가 영역
■ 과학 사고력 □ 과학 창의성
□ 과학 STEAM

평가 요소
■ 개념 이해력 □ 탐구 능력
□ 유창성 □ 독창성 및 융통성
□ 문제 파악 능력 □ 문제 해결 능력

교과 영역
□ 에너지 □ 물질 □ 생명 ■ 지구

난이도 ★★★

온실 기체	이산화 탄소	메테인	아산화 질소	육불화 황
지구 온난화 지수	1	21	310	23,900

온실 기체	수증기	이산화 탄소	메테인	오존
지구 온난화 기여도(%)	72	9	4	3

평가 영역

□ 과학 사고력 ■ 과학 창의성
□ 과학 STEAM

평가 요소

□ 개념 이해력 □ 탐구 능력
■ 유창성 ■ 독창성 및 융통성
□ 문제 파악 능력 □ 문제 해결 능력

교과 영역

■ 에너지 □ 물질 □ 생명 □ 지구

난이도 ★ ★ ☆

대부분의 그림자는 회색, 검은색이다. 다음 그림처럼 다양한 빨간색, 초록색, 파란색, 노란색, 청록색, 자홍색 색깔 그림자를 만들 수 있는 장치를 설계하고 서술하시오. [10점]

1

2

3

평가 영역

□ 과학 사고력 ■ 과학 창의성
□ 과학 STEAM

평가 요소

□ 개념 이해력 □ 탐구 능력
■ 유창성 ■ 독창성 및 융통성
□ 문제 파악 능력 □ 문제 해결 능력

교과 영역

□ 에너지 ■ 물질 □ 생명 □ 지구

난이도 ★★★

희토류는 LED 반도체, 전기 자동차, 풍력 발전기 등에 쓰이는 물질로 첨단기술 녹색산업 분야에 필수적인 자원으로 21세기 최고의 전략자원이라 불릴 정도로 귀한 자원이다. 그러나 모든 지역에 골고루 분포하지 않고, 특히 중국이 전 세계 희토류 매장량의 31 %, 생산량 90 % 이상을 차지하고 있다. 희토류는 부족한 양에 비해 그 쓰임새가 너무 중요하므로 모든 국가가 이 자원을 확보하기 위해 애를 쓰고 있다. 한정적인 희토류 자원에 대한 대책을 세 가지 서술하시오. [10점]

①

②

③

평가 영역

□ 과학 사고력 ■ 과학 창의성
□ 과학 STEAM

평가 요소

□ 개념 이해력 □ 탐구 능력
■ 유창성 ■ 독창성 및 융통성
□ 문제 파악 능력 □ 문제 해결 능력

교과 영역

□ 에너지 □ 물질 ■ 생명 □ 지구

난이도 ★ ★ ☆

생물은 생물체 내 미토콘드리아에서 흡수한 영양소와 산소를 반응시켜 살아가는 데 필요한 에너지를 얻는다. 이를 세포 호흡이라고 한다. 세포 호흡은 연소와 같이 물질을 분해하고 에너지를 방출하는 과정이다. 호흡과 연소의 차이점을 세 가지 서술하시오. [10점]

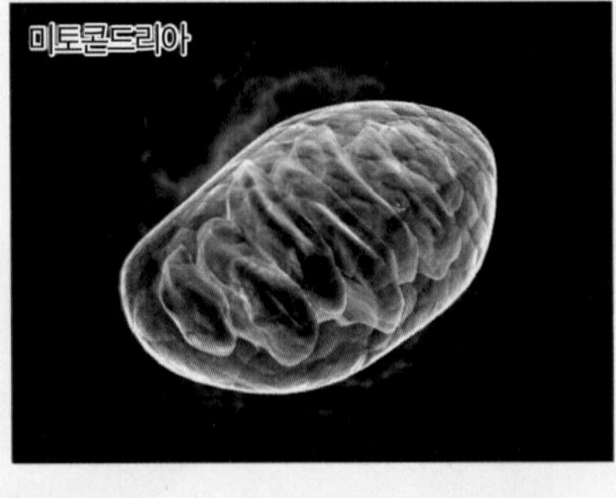

①

②

③

평가 영역

□ 과학 사고력 ■ 과학 창의성
□ 과학 STEAM

평가 요소

□ 개념 이해력 □ 탐구 능력
■ 유창성 ■ 독창성 및 융통성
□ 문제 파악 능력 □ 문제 해결 능력

교과 영역

□ 에너지 □ 물질 □ 생명 ■ 지구

난이도 ★★★

과학 3강

현승이는 다음과 같은 방법으로 구름을 만들었다.

① 페트병에 약간의 물을 넣고 압축 펌프로 막는다.
② 압축 펌프로 압축한다.
③ 뚜껑을 열어 공기를 팽창시킨다.

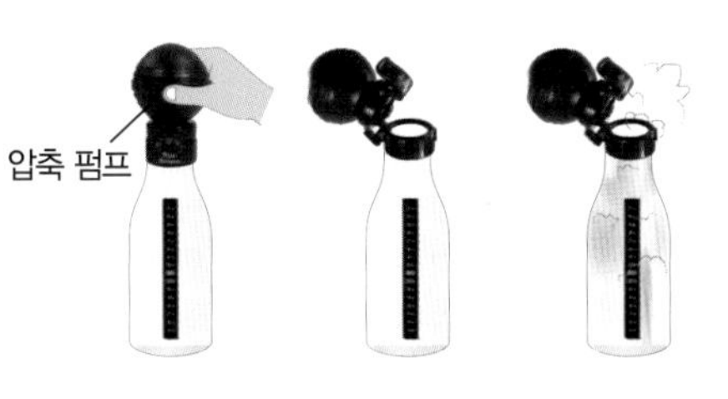

구름을 더 잘 만들기 위한 방법을 세 가지 서술하시오. [10점]

①

②

③

다음은 프레넬 렌즈(Fresnel Lens)에 관한 내용이다.

기사

프레넬 렌즈는 프랑스 과학자 프레넬이 고안한 렌즈로, 등대에서 사용하는 대형 볼록 렌즈를 저렴하게 만들기 위하여 개발했다. 등대에서는 빛을 멀리 비추기 위하여 볼록 렌즈를 사용한다. 빛을 모으는 장치는 볼록 렌즈, 오목 거울, 원통을 반으로 자른 파라볼릭 거울이 일반적이다. 가장 대표적인 장치인 볼록 렌즈는 일반적으로 중앙이 볼록하고 가장자리로 갈수록 얇아진다. 볼록 렌즈는 가공이 어려울 뿐만 아니라 무게도 엄청나게 무거워지므로 크게 만드는 데 한계가 있다.

⇧ 등대의 프레넬 렌즈 조명등

프레넬 렌즈는 매우 두꺼운 볼록 렌즈를 대체할 수 있는 특수한 렌즈이다.

평가 영역
□ 과학 사고력 □ 과학 창의성
■ 과학 STEAM

평가 요소
□ 개념 이해력 □ 탐구 능력
□ 유창성 □ 독창성 및 융통성
■ 문제 파악 능력 □ 문제 해결 능력

교과 영역
■ 에너지 ■ 물질 □ 생명 □ 지구

난이도 ★★★

1 프레넬 렌즈는 일반 볼록 렌즈의 곡면을 잘게 나누어 여러 개를 둥근 고리 모양으로 늘어놓은 것으로 옆에서 보면 톱니 모양처럼, 위에서 보면 레코드판처럼 울퉁불퉁하게 보인다. 다음 프레넬 렌즈에서의 빛의 경로를 그리고, 빛을 모을 수 있는 이유를 서술하시오. [6점]

• 프레넬 렌즈에서의 빛의 경로

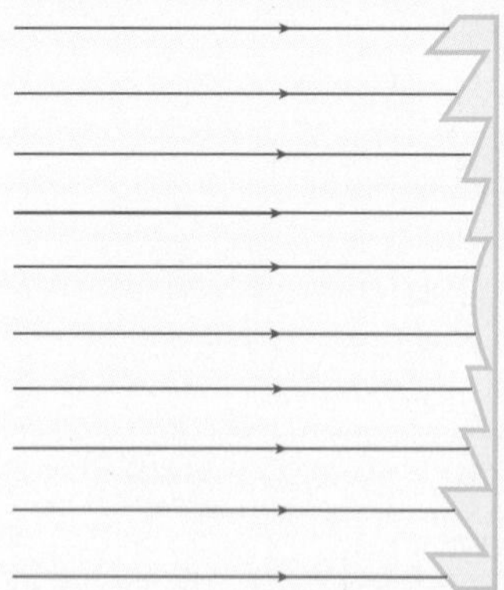

• 프레넬 렌즈가 빛을 모을 수 있는 이유

평가 영역

☐ 과학 사고력 ☐ 과학 창의성
■ 과학 STEAM

평가 요소

☐ 개념 이해력 ☐ 탐구 능력
☐ 유창성 ☐ 독창성 및 융통성
☐ 문제 파악 능력 ■ 문제 해결 능력

교과 영역

■ 에너지 ■ 물질 ☐ 생명 ☐ 지구

난이도 ★ ★ ☆

2 프레넬 렌즈는 얇고 가벼워서 지갑에 넣고 다닐 수 있으며 투명도가 높고 거칠기가 매우 낮아서 빛을 효율적으로 모을 수 있다. 프레넬 렌즈의 특징을 고려하여 프레넬 렌즈를 이용할 수 있는 방법을 다섯 가지 서술하시오. [8점]

①

②

③

④

⑤

다음은 혈액투석에 관한 내용이다.

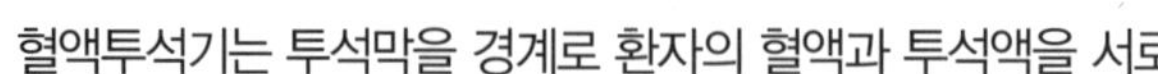

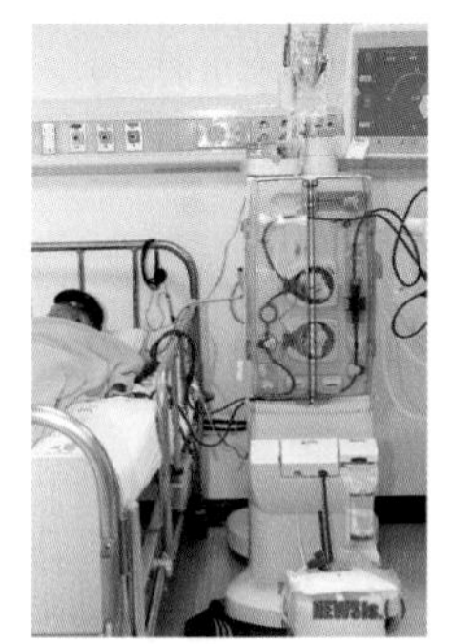

혈액은 혈관을 따라 우리 몸속 이곳저곳을 다니며 필요한 산소와 영양소를 공급하고 또 그곳에서 생성된 노폐물을 거둬 간다. 콩팥은 혈액 속의 노폐물을 여과하여 다시 깨끗한 상태로 바꿔준다.

신부전과 같은 신장 질환을 앓고 있는 사람들은 콩팥이 역할을 제대로 하지 못하기 때문에 몸속의 노폐물이 배출되지 못하므로 혈액투석으로 혈액 속의 노폐물을 걸러내야 한다.

혈액투석기는 투석막을 경계로 환자의 혈액과 투석액을 서로 반대 방향으로 통과시키면서 혈액 내의 노폐물을 제거하고 수분을 조절한다. 이때 혈류 속도가 낮은 정맥을 사용하면 투석 시간이 길어진다. 동맥을 사용하면 압력과 혈류 속도가 충분하지만, 너무 깊이 있어서 혈관을 찾기 힘들고 지혈하기도 힘들다. 따라서 팔의 동맥과 정맥을 연결(동정맥)하여 혈액투석을 한다.

평가 영역

□ 과학 사고력 □ 과학 창의성 ■ 과학 STEAM

평가 요소

□ 개념 이해력 □ 탐구 능력 □ 유창성 □ 독창성 및 융통성 ■ 문제 파악 능력 □ 문제 해결 능력

교과 영역

■ 에너지 □ 물질 ■ 생명 □ 지구

난이도 ★ ★ ☆

1 혈액투석기는 혈액 내의 노폐물을 제거하고 산성화된 혈액을 중화시켜주며 혈액 속의 과다한 수분을 제거한다. 혈액투석의 원리를 서술하시오. [6점]

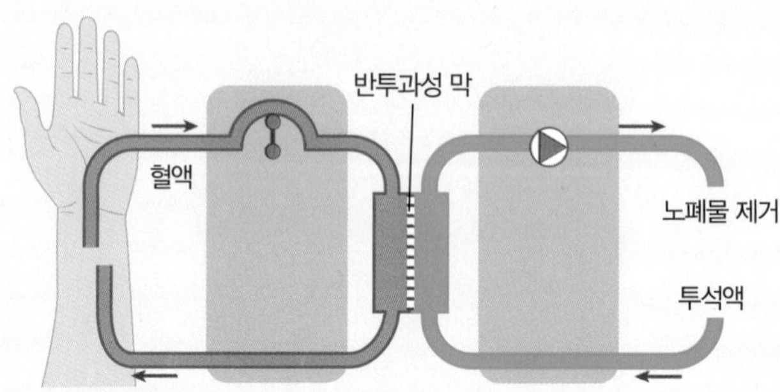

평가 영역
☐ 과학 사고력 ☐ 과학 창의성
■ 과학 STEAM

평가 요소
☐ 개념 이해력 ☐ 탐구 능력
☐ 유창성 ☐ 독창성 및 융통성
☐ 문제 파악 능력 ■ 문제 해결 능력

교과 영역
■ 에너지 ☐ 물질 ■ 생명 ☐ 지구

난이도 ★★★

2 만성 신부전증 환자들은 일주일에 최소 3차례 이상 3~5시간이 소요되는 혈액투석을 받아야 한다. 기존의 혈액투석 방법의 불편한 점을 두 가지 서술하고, 이를 개선할 수 있는 방법을 서술하시오. [8점]

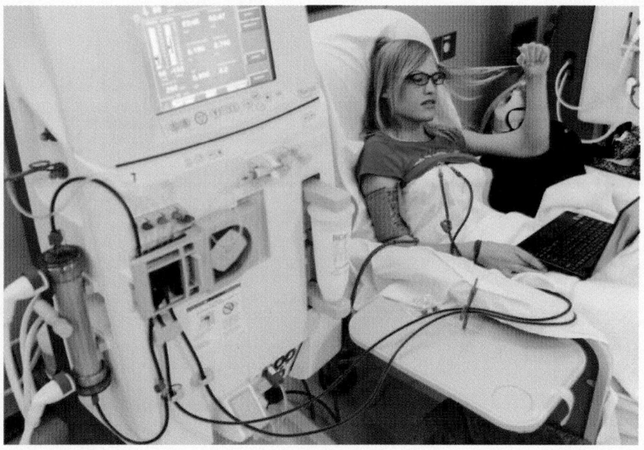

• 불편한 점 :

①

②

• 개선 방법 :

안쌤의 창의적 문제해결력
파이널 과학 50제
3강

안쌤의 창의적 문제해결력

파이널 50제
과학 4

중등
1·2
학년

평가 영역

■ 과학 사고력 □ 과학 창의성
□ 과학 STEAM

평가 요소

□ 개념 이해력 ■ 탐구 능력
□ 유창성 □ 독창성 및 융통성
□ 문제 파악 능력 □ 문제 해결 능력

교과 영역

■ 에너지 □ 물질 □ 생명 □ 지구

난이도 ★ ★ ☆

폭이 30 cm, 높이가 20 cm인 계단 20개를 1층부터 2층까지 몸무게가 50 kg인 재민이는 한 칸씩 올라가 40초가 걸렸고, 50 kg인 경현이는 두 칸씩 올라가 25초가 걸렸다.

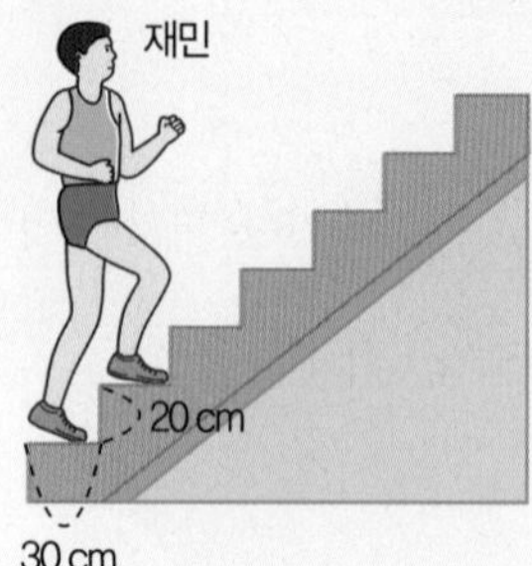

재민이와 경현이가 계단을 올라갈 때 한 일과 일률을 각각 풀이과정과 함께 구하고 이를 통해 알 수 있는 재민이와 경현이의 일의 양과 일률을 비교하여 서술하시오. [8점]

평가 영역

■ 과학 사고력 □ 과학 창의성
□ 과학 STEAM

평가 요소

□ 개념 이해력 ■ 탐구 능력
□ 유창성 □ 독창성 및 융통성
□ 문제 파악 능력 □ 문제 해결 능력

교과 영역

□ 에너지 ■ 물질 □ 생명 □ 지구

난이도 ★ ★ ☆

다음 실험은 컵 바닥에 있던 붉은색 액체가 둥근 모양을 만들며 조금씩 액체 가운데로 떠오르는 모양이 태양이 뜨는 것과 비슷하다 하여 떠오르는 태양이라고 한다. 떠오르는 태양을 만들 수 있는 방법과 원리를 서술하시오. [8점]

• 방법 :

• 원리 :

평가 영역

■ 과학 사고력 □ 과학 창의성
□ 과학 STEAM

평가 요소

■ 개념 이해력 □ 탐구 능력
□ 유창성 □ 독창성 및 융통성
□ 문제 파악 능력 □ 문제 해결 능력

교과 영역

□ 에너지 □ 물질 ■ 생명 □ 지구

난이도 ★★★

목욕탕에 있는 사우나의 실내 내부 온도는 약 90~110℃ 정도이다. 날달걀을 들고 뜨거운 사우나실에 들어가면 계란은 익지만, 사람은 화상을 입지 않는다. 그 이유를 피부 구조를 바탕으로 서술하시오. [8점]

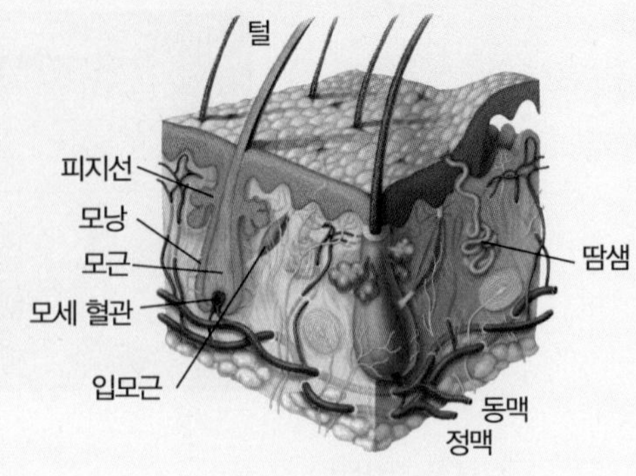

평가 영역

■ 과학 사고력 □ 과학 창의성

□ 과학 STEAM

평가 요소

■ 개념 이해력 □ 탐구 능력

□ 유창성 □ 독창성 및 융통성

□ 문제 파악 능력 □ 문제 해결 능력

교과 영역

□ 에너지 □ 물질 ■ 생명 □ 지구

난이도 ★ ★ ☆

우리 몸의 반응은 대뇌가 관여하는가에 따라 의식적인 반응과 무의식적인 반응인 반응(반사)으로 나누어진다. 각 상황에서의 반응 경로를 나열하고, 의식적인 반응과 무의식적인 반응(반사)으로 구분하시오. [8점]

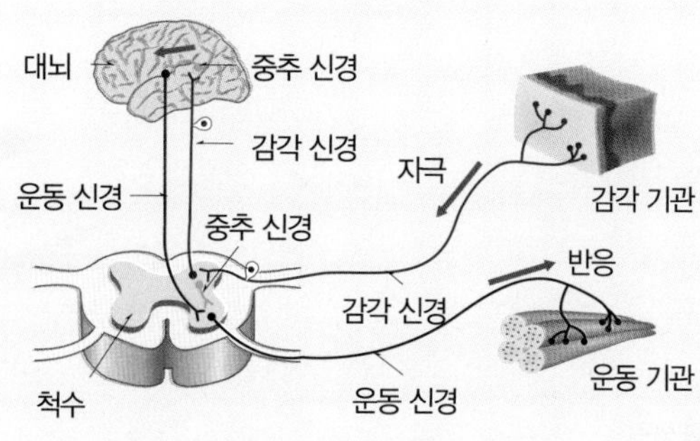

① 신호등을 보고 건널목을 건넌다.

② 신 음식을 생각만 해도 침이 고인다.

③ 뾰족한 물체를 밟자마자 저절로 발을 뗀다.

④ 반응의 구분

의식적인 반응	무의식적인 반응

평가 영역

□ 과학 사고력 ■ 과학 창의성
□ 과학 STEAM

평가 요소

□ 개념 이해력 □ 탐구 능력
■ 유창성 ■ 독창성 및 융통성
□ 문제 파악 능력 □ 문제 해결 능력

교과 영역

■ 에너지 □ 물질 □ 생명 □ 지구

난이도 ★ ★ ☆

눈썰매는 최고의 겨울 레포츠이자 놀이기구이다. 눈썰매를 봅슬레이처럼 빠르고 신나게 탈 수 있는 방법을 다섯 가지 서술하시오. [10점]

1

2

3

4

5

평가 영역

□ 과학 사고력 ■ 과학 창의성
□ 과학 STEAM

평가 요소

□ 개념 이해력 □ 탐구 능력
■ 유창성 ■ 독창성 및 융통성
□ 문제 파악 능력 □ 문제 해결 능력

교과 영역

■ 에너지 □ 물질 □ 생명 □ 지구

난이도 ★ ★ ☆

마찰이 없는 빗면과 마찰이 있는 수평면이 매끄럽게 연결되어 있다. 수평면 앞에 자동차를 놓고 경사면에서 쇠 구슬을 굴렸더니 자동차가 1 m 앞으로 나아갔다. 자동차가 나아간 거리를 4배 증가시킬 수 있는 방법을 세 가지 서술하시오. [10점]

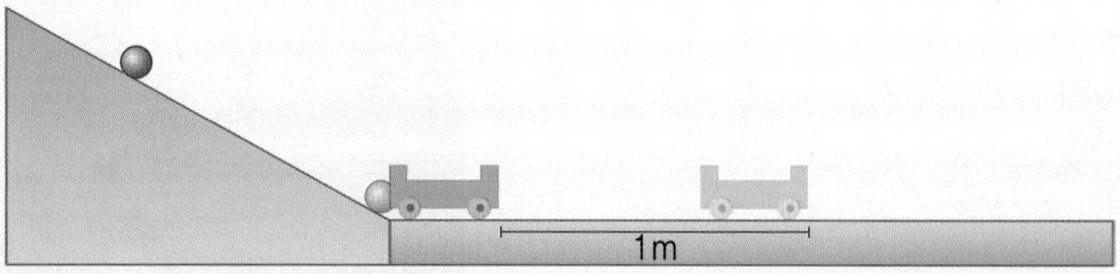

1m

①

②

③

평가 영역

□과학 사고력 ■과학 창의성
□과학 STEAM

평가 요소

□개념 이해력 □탐구 능력
■유창성 ■독창성 및 융통성
□문제 파악 능력 □문제 해결 능력

교과 영역

□에너지 ■물질 □생명 □지구

난이도 ★★★

화산지대에서 볼 수 있는 간헐천은 100 ℃가 넘는 뜨거운 물과 수증기를 주기적으로 분출하는 온천이다. 간헐천에서 100 ℃가 넘는 액체 상태의 물이 뿜어져 나오는 것과 같은 원리를 세 가지 서술하시오. [10점]

①

②

③

평가 영역

- ☐ 과학 사고력 ■ 과학 창의성
- ☐ 과학 STEAM

평가 요소

- ☐ 개념 이해력 ☐ 탐구 능력
- ■ 유창성 ■ 독창성 및 융통성
- ☐ 문제 파악 능력 ☐ 문제 해결 능력

교과 영역

- ☐ 에너지 ☐ 물질 ■ 생명 ☐ 지구

난이도 ★★★

세계적인 작곡가 베토벤은 1795년 피아노 연주자로서 데뷔하고 작곡 활동을 하며 지내던 중 30세 즈음에 귓병이 났는데 그게 점차 악화되어 청력이 약해져 말년에는 완전히 듣지 못했다고 한다. 청력이 약해진 베토벤이 소리를 들을 수 있는 방법을 두 가지 서술하시오. [10점]

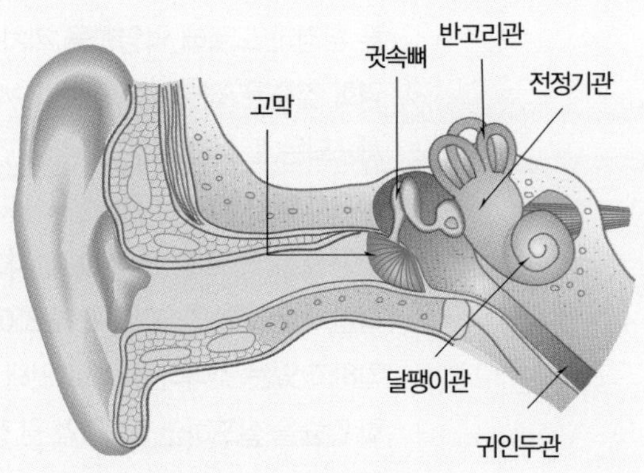

다음은 염화 칼슘 제설제에 관한 내용이다.

기사

대전시와 자치구가 겨울철을 앞두고 제설 작업 시 염화 칼슘 사용을 놓고 딜레마에 빠졌다. 원활한 제설 작업을 위해서는 염화 칼슘이 꼭 필요하지만, 염화 칼슘이 예산은 물론 환경과 도로에 악영향을 끼치는 등 문제점이 노출되었기 때문이다.

염화 칼슘은 적설량이 평균 1~4 cm 이상일 경우 사용되는데, 시의 경우 111 km 구간에 염화 칼슘 1회 살포시 통상 100여 t 정도를 사용하고 있다. 염화 칼슘을 보통 t당 25만 원 정도에 사고 있는 것을 고려하면, 시는 제설작업 한 번에 2500만 원 정도를 투입하고 있는 것이다. 폭설로 인해 하루에 3~4번 염화 칼슘을 살포하면 최대 1억 원 정도가 소요되는 셈이다.

이처럼 염화 칼슘은 비용이 많이 들어간다는 단점 외에도 가로수의 생존 시기를 줄이고 도로 손상의 주범으로 지목되고 있으며 차량 부식의 주요 원인이 되면서 대안이 시급하다는 지적이다.

평가 영역

□ 과학 사고력 □ 과학 창의성

■ 과학 STEAM

평가 요소

□ 개념 이해력 □ 탐구 능력

□ 유창성 □ 독창성 및 융통성

■ 문제 파악 능력 □ 문제 해결 능력

교과 영역

■ 에너지 ■ 물질 □ 생명 □ 지구

난이도 ★★☆

1 눈에 염화 칼슘 제설제를 뿌리면 눈이 녹는 이유를 서술하시오. [6점]

평가 영역

□ 과학 사고력 □ 과학 창의성
■ 과학 STEAM

평가 요소

□ 개념 이해력 □ 탐구 능력
□ 유창성 □ 독창성 및 융통성
□ 문제 파악 능력 ■ 문제 해결 능력

교과 영역

■ 에너지 ■ 물질 □ 생명 □ 지구

난이도 ★ ★ ☆

2 염화 칼슘 제설제는 효과가 높지만, 콘크리트와 아스팔트를 경화시켜 구멍이 생기거나 쉽게 깨지게 만들고 금속의 부식을 약 5배 이상 빠르게 만든다. 또한, 흙에 섞이면 수분을 흡수하기 때문에 식물이 말라 죽는다. 염화 칼슘을 사용하지 않고 제설할 수 있는 방법을 세 가지 서술하시오. [8점]

1

2

3

다음은 고속도로 차량 속도 제한에 관한 내용이다.

기사

고속도로 순찰대로 접수되는 민원 전화는 하루에도 수십 건에 이른다. 그중에는 '100 km/h의 제한 속도를 준수하고 운행했는데, 과속카메라에 적발되었으니 확인하고 조치해달라'는 항의성 민원이 단연 많다. 이와 같은 민원은 십중팔구 1.5톤을 초과하는 화물차량 운전자들이다.

일반도로에서의 속도제한은 승용차와 화물차 모두 60 km/h 또는 80 km/h이다. 하지만 고속도로라면 얘기는 달라진다. 편도 2차로 이상의 고속도로(최고제한속도 100 km/h 기준)에서는 승용차와 승합차는 최고 100 km/h이지만 1.5톤 초과 화물차량은 최고 80 km/h이다. 과속카메라 바로 위에 붙은 속도제한표지판에는 100 km/h라고만 표시되어 있어 별다른 생각 없이 "나는 100 km/h로 가니까 괜찮겠지."라고 생각하고 80 km/h 이상의 속도로 지나가면 센서는 통과하는 차량의 차축 등으로 차량 등급을 판독하여 카메라에 전달하고 카메라는 80 km/h를 초과하는 1.5톤 초과의 차량을 선별하여 과속으로 촬영한다.

평가 영역
□ 과학 사고력 □ 과학 창의성
■ 과학 STEAM

평가 요소
□ 개념 이해력 □ 탐구 능력
□ 유창성 □ 독창성 및 융통성
■ 문제 파악 능력 □ 문제 해결 능력

교과 영역
■ 에너지 □ 물질 ■ 생명 □ 지구

난이도 ★★★

1 편도 2차로 이상의 고속도로(최고제한속도 100 km/h 기준)에서 화물차량의 최고제한속도가 승용차와 승합차보다 작은 이유를 두 가지 서술하시오. [6점]

평가 영역

☐ 과학 사고력 ☐ 과학 창의성
■ 과학 STEAM

평가 요소

☐ 개념 이해력 ☐ 탐구 능력
☐ 유창성 ☐ 독창성 및 융통성
☐ 문제 파악 능력 ■ 문제 해결 능력

교과 영역

■ 에너지 ☐ 물질 ■ 생명 ☐ 지구

난이도 ★ ★ ☆

2 날이 풀리면서 건설 산업 현장이 활기를 띠기 시작하면 대형 트럭의 움직임이 활발해지면서 화물차 과속, 과적 사고가 증가한다. 과속, 과적 화물차 운전은 도로환경과 운전자의 생명까지 위협한다. 연간 500억 원에 달하는 비용이 고속도로 보수 작업에 쓰이고 있으며 교통사고 및 단속 인력, 유지 비용까지 합하면 수조 원인 것으로 추정된다. 화물차 과속, 과적 사고를 줄이기 위한 방법을 세 가지 서술하시오. [8점]

안쌤의 창의적 문제해결력
파이널 과학 50제
4강

안쌤의 창의적 문제해결력

파이널 50제

과학 5

중등

1 · 2

학년

평가 영역

■ 과학 사고력 □ 과학 창의성
□ 과학 STEAM

평가 요소

■ 개념 이해력 □ 탐구 능력
□ 유창성 □ 독창성 및 융통성
□ 문제 파악 능력 □ 문제 해결 능력

교과 영역

□ 에너지 □ 물질 □ 생명 ■ 지구

난이도 ★ ★ ☆

마이산은 자갈, 모래, 흙이 콘크리트 반죽처럼 쌓인 봉우리 역암층으로 그 규모는 세계적으로도 유례를 찾기 힘들다. 특히 탑사 쪽에서 올려다보면 암마이봉 절벽에 벌집 모양으로 뚫려있는 작은 동굴(타포니, tafoni)들을 쉽게 찾아볼 수 있다. 과거에 호수였던 곳이 역암층의 마이산이 된 이유와 타포니 지형이 생성된 이유를 추리하여 서술하시오. [8점]

• 마이산이 된 이유 :

• 타포니 지형이 생성된 이유 :

평가 영역

■ 과학 사고력 □ 과학 창의성
□ 과학 STEAM

평가 요소

□ 개념 이해력 ■ 탐구 능력
□ 유창성 □ 독창성 및 융통성
□ 문제 파악 능력 □ 문제 해결 능력

교과 영역

□ 에너지 □ 물질 ■ 생명 □ 지구

난이도 ★ ★ ☆

잉겐하우스는 프리스틀리의 실험과 같이 밀폐된 유리종에 식물과 생쥐를 함께 두었는데 식물과 동물이 모두 죽어버렸다. 그 이유를 찾아내기 위해 다음과 같이 다양한 조건에서 실험을 반복하였다.

① 조건 A : 밀폐된 유리종에 식물과 동물을 함께 넣는다.
② 조건 B : 밀폐된 쇠종에 식물과 동물을 함께 넣는다.
③ 조건 C : 밀폐된 유리종에 잎이 없는 식물과 동물을 함께 넣는다.

조건 A

조건 B

조건 C

세 종 속의 변화를 이유와 함께 서술하시오. [8점]

• 조건 A :

• 조건 B :

• 조건 C :

평가 영역

■ 과학 사고력 □ 과학 창의성
□ 과학 STEAM

평가 요소

■ 개념 이해력 □ 탐구 능력
□ 유창성 □ 독창성 및 융통성
□ 문제 파악 능력 □ 문제 해결 능력

교과 영역

□ 에너지 ■ 물질 □ 생명 □ 지구

난이도 ★ ★ ☆

커피를 마시다 보면 뜨거운 커피에 입을 데기도 하고 차갑게 식어버린 커피를 마시게 될 때도 있다. 템퍼펙트는 일반 텀블러와 달리 커피를 마시기에 가장 이상적인 온도인 55 ℃를 3시간 동안 유지해 준다. 템퍼펙트의 원리를 추리하여 서술하시오. [8점]

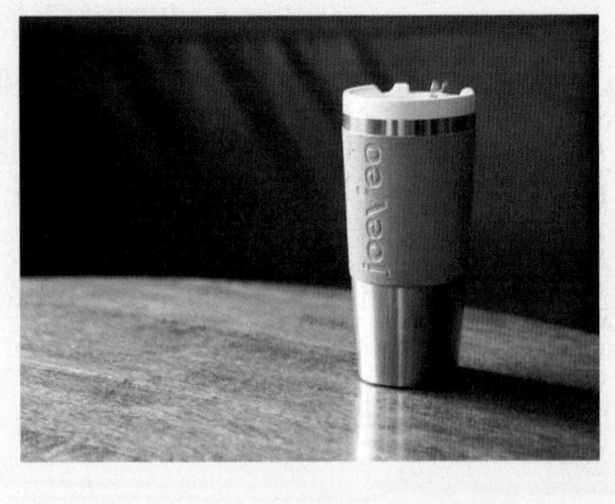

평가 영역

■ 과학 사고력 □ 과학 창의성
□ 과학 STEAM

평가 요소

■ 개념 이해력 □ 탐구 능력
□ 유창성 □ 독창성 및 융통성
□ 문제 파악 능력 □ 문제 해결 능력

교과 영역

■ 에너지 □ 물질 □ 생명 □ 지구

난이도 ★★☆

다음과 같이 마찰이 있는 고무판 위에 카드 4장을 두 가지 삼각 모양으로 쌓고 그 위에 아크릴 판을 올린 후 추를 올려보았다. 더 많은 무게를 버티는 구조를 고르고 이유를 서술하시오. [8점]

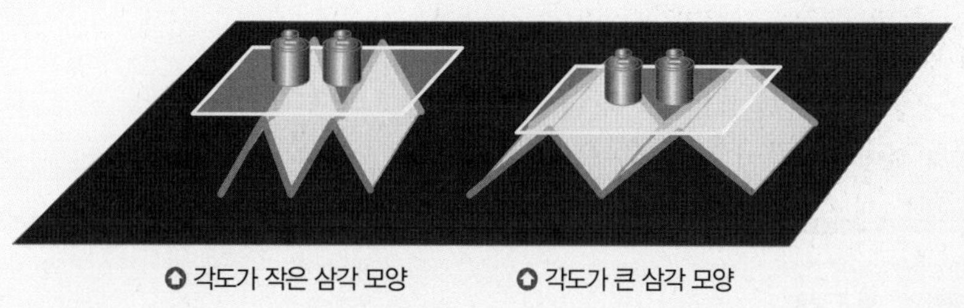

각도가 작은 삼각 모양 각도가 큰 삼각 모양

과학 창의성

45

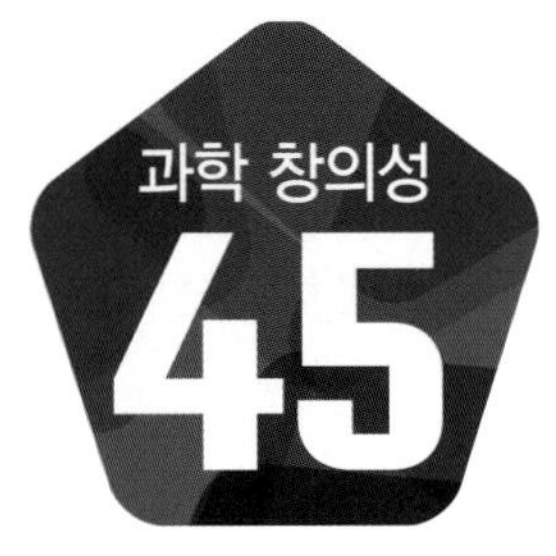

평가 영역

□ 과학 사고력 ■ 과학 창의성
□ 과학 STEAM

평가 요소

□ 개념 이해력 □ 탐구 능력
■ 유창성 ■ 독창성 및 융통성
□ 문제 파악 능력 □ 문제 해결 능력

교과 영역

□ 에너지 ■ 물질 □ 생명 □ 지구

난이도 ★ ★ ☆

무색투명한 액체 두 개가 있다. 하나는 소금물이고 다른 하나는 물이다. 맛을 보지 않고 두 액체를 구별할 수 있는 방법을 이유와 함께 다섯 가지 서술하시오. [10점]

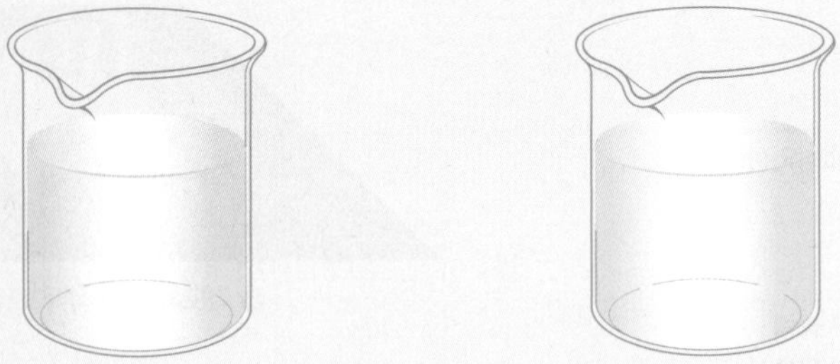

❶

❷

❸

❹

❺

평가 영역

□ 과학 사고력 ■ 과학 창의성
□ 과학 STEAM

평가 요소

□ 개념 이해력 □ 탐구 능력
■ 유창성 ■ 독창성 및 융통성
□ 문제 파악 능력 □ 문제 해결 능력

교과 영역

■ 에너지 □ 물질 □ 생명 □ 지구

난이도 ★★★

손바닥으로 밀어내기 게임을 하려고 한다. 짝을 이루어 손바닥으로 밀어서 발이 먼저 떨어지는 사람이 진다. 이 게임에서 이길 수 있는 방법을 과학적으로 세 가지 서술하시오. [10점]

❶

❷

❸

평가 영역

□ 과학 사고력 ■ 과학 창의성
□ 과학 STEAM

평가 요소

□ 개념 이해력 □ 탐구 능력
■ 유창성 ■ 독창성 및 융통성
□ 문제 파악 능력 □ 문제 해결 능력

교과 영역

□ 에너지 □ 물질 ■ 생명 □ 지구

난이도 ★ ★ ☆

콜레스테롤 과다 섭취와 운동 부족 등으로 인해 동맥 내부에 콜레스테롤이 축적되어 울퉁불퉁하고 딱딱하게 혈관이 좁아지는 현상을 동맥 경화라고 한다. 동맥 경화에 의해 나타날 수 있는 변화를 세 가지 서술하시오. [10점]

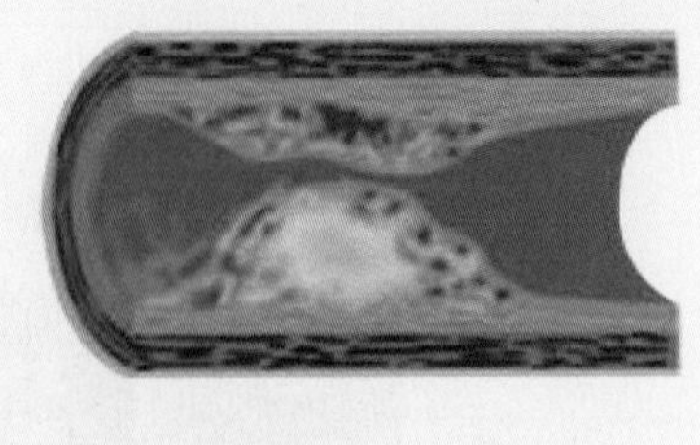

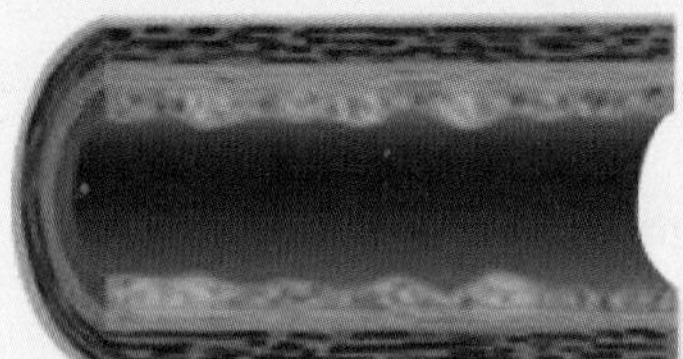

❶

❷

❸

평가 영역

□ 과학 사고력 ■ 과학 창의성
□ 과학 STEAM

평가 요소

□ 개념 이해력 □ 탐구 능력
■ 유창성 ■ 독창성 및 융통성
□ 문제 파악 능력 □ 문제 해결 능력

교과 영역

□ 에너지 □ 물질 □ 생명 ■ 지구

난이도 ★ ★ ☆

※ 유창성 [6점]

총체적 채점 기준	점수
모두 세 가지씩 서술한 경우	6점
모두 두 가지씩 서술한 경우	4점
모두 한 가지씩 서술한 경우	2점

※ 독창성 및 융통성 [4점]

요소별 채점 기준	점수
풍향을 서술한 경우	2점
구름과 비를 서술한 경우	2점

다음은 미국 북동부 지역의 구름 위성사진이다. 워싱턴의 현재 날씨와 앞으로의 날씨를 각각 세 가지씩 추리하여 서술하시오. [10점]

• 현재 날씨

❶

❷

❸

• 앞으로의 날씨

❶

❷

❸

다음은 네팔 지진에 관한 내용이다.

기사

'은둔의 땅'으로 알려진 네팔에서 지난 4월 25일 참혹한 재앙이 발생했다. 이번 대지진으로 인해 지금까지 8500명 이상이 사망하고 1만 명 넘게 다친 것으로 알려졌다. 규모 7.9의 강진과 10시간 가까이 연속적으로 발생한 60여 차례의 여진이 남긴 피해는, 현재 정확하게 추정할 수도 없는 상황이다. 안타까운 일이지만 네팔 대지진은 어느 정도 예고된 재앙이었다. 과거 30만 명의 사망자를 낸 아이티 대지진 참사 직후, 대다수의 지진 전문가들이 '다음 차례는 네팔이 될 가능성이 크며, 지진 규모도 8.0인 강진이 될 것'이라고 예상했기 때문이다. 이 같은 예상치는 이번 지진 규모인 7.9에 거의 근접한 수준이다.

평가 영역
□과학 사고력 □과학 창의성
■과학 STEAM

평가 요소
□개념 이해력 □탐구 능력
□유창성 □독창성 및 융통성
■문제 파악 능력 □문제 해결 능력

교과 영역
■에너지 □물질 □생명 ■지구

난이도 ★★☆

1 실제로 네팔 지역은 지금까지 수많은 대지진을 겪었다. 1934년에 일어난 규모 8.2의 강진으로 1만6천 명 이상이 사망했고, 1988년에는 규모 6.8의 지진으로 1000명 이상이 목숨을 잃었다. 이후에도 1993년부터 2011년까지 크고 작은 지진이 끊이지 않고 발생했다. 네팔에서 지진이 자주 발생하는 이유를 서술하시오. [6점]

평가 영역

☐ 과학 사고력 ☐ 과학 창의성
■ 과학 STEAM

평가 요소

☐ 개념 이해력 ☐ 탐구 능력
☐ 유창성 ☐ 독창성 및 융통성
☐ 문제 파악 능력 ■ 문제 해결 능력

교과 영역

■ 에너지 ■ 물질 ☐ 생명 ☐ 지구

난이도 ★ ★ ☆

2 지진예측은 지진의 위치, 시간, 규모를 예측할 목적으로 지진이 일어나기 전의 상황이나 징후를 다루는 지진학 분야이다. 예전부터 내려오는 동물의 이상 행동으로 판단하는 지진 예측 방법 외에 지진을 예측할 수 있는 방법을 두 가지 서술하시오. [8점]

①

②

다음은 시력 교정에 관한 내용이다.

기사

눈은 사람의 시각을 담당하는 인체의 주요 부위다. 하지만 최근에는 스마트폰과 컴퓨터 모니터 사용 시간이 증가하면서 예전에 비해 이른 나이에 눈 건강이 나빠지는 사람들이 늘고 있다. 건강보험심사평가원에 따르면 최근 5년간 약시 환자를 분석한 결과 무려 60 %가 어린이 환자였다. 약시란 특별한 이상이나 문제를 발견할 수 없는데 시력 검사 시 잘 나오지 않는 상태를 말하며, 시력 표에서 양쪽 눈의 시력이 두 줄 이상 차이가 있을 때 시력이 낮은 쪽을 약시라고 한다.

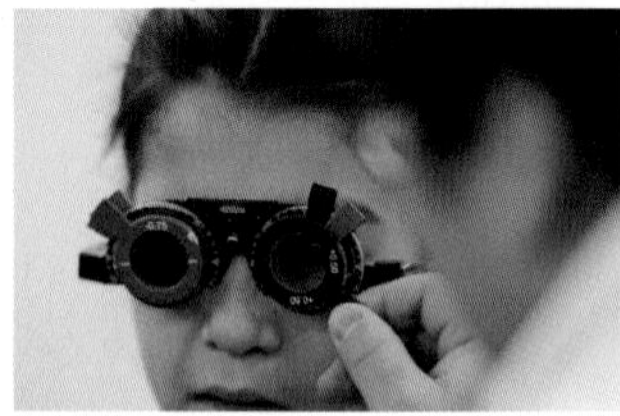

자녀가 약시일 경우 일부 부모는 자녀가 어릴 때부터 안경을 쓰면 시력이 나빠진다는 속설 때문에 자녀한테 안경 착용을 꺼린다. 하지만 이는 잘못된 생각이다. 자녀가 성장하면서 근시도 함께 진행되는 것이지 안경 착용 때문에 시력이 저하되는 것은 아니다. 오히려 시력이 나쁜데도 불구하고 안경을 쓰지 않으면 시력 악화 속도가 성장 속도보다 빨라지거나 시력발달에 악영향을 줄 수 있다.

평가 영역
□ 과학 사고력 □ 과학 창의성
■ 과학 STEAM

평가 요소
□ 개념 이해력 □ 탐구 능력
□ 유창성 □ 독창성 및 융통성
■ 문제 파악 능력 □ 문제 해결 능력

교과 영역
■ 에너지 □ 물질 ■ 생명 □ 지구

난이도 ★★☆

1 원시와 노안은 모두 볼록 렌즈 안경으로 시력을 교정한다. 원시와 노안이 나타나는 이유를 비교하여 서술하시오. [6점]

평가 영역

□ 과학 사고력 □ 과학 창의성
■ 과학 STEAM

평가 요소

□ 개념 이해력 □ 탐구 능력
□ 유창성 □ 독창성 및 융통성
□ 문제 파악 능력 ■ 문제 해결 능력

교과 영역

■ 에너지 □ 물질 ■ 생명 □ 지구

난이도 ★★☆

2 최근에는 시력 장애를 벗어나고자 라식이나 라섹 등 수술적 치료법을 선택하는 사람이 많다. 일반적으로 라식이나 라섹은 근시를 교정하는 수술이며, 레이저로 각막의 중심부를 편평하게 깎아서 시력을 교정한다. 원시 시력을 교정하기 위한 수술은 어떻게 해야 할지 원리와 함께 서술하시오. [8점]

⊙ 근시 라식 수술 방법

안쌤의 창의적 문제해결력

파이널 과학 50제 5강

50제 시리즈로 대비할 수 있는

과학 대회 안내

- 7월 한국과학창의력대회
  – 한국과학교육단체총연합회 주최
- 9월 영재교육 대상자 선발
  – 교육청 주최
- 기출문제 및 예시문제

한국과학창의력대회

목적

제4차 산업혁명 시대를 능동적으로 이끌어 갈 창의성과 리더십을 가진 융합인재의 육성을 위해 창의적인 과학 사고력을 신장시킨다.

주최 · 주관 : 한국과학교육단체총연합회

대상 및 자격

- 참가 대상 : 전국 초등학교 4, 5, 6학년, 중학교 1~3학년, 고등학교 1~3학년 학생
  - 1차 시험 대상 : 초등학교 4~6(Ⅰ), 중학교 1~3(Ⅱ), 고등학교 1~3(Ⅲ), 과학고 · 과학영재학교(Ⅳ)
  - 2차 시험 대상 : 1차 시험에 선발된 인원
- 참가 인원 및 자격
  - 학년별 4명 이내(단, 학년 당 학급 규모가 11 학급 이상의 경우 6명 이내) 학교장 추천을 받은 학생
  - 과학성적 우수자, 과학대회 및 과학체험활동에서 우수한 역량을 발휘한 자

일시 및 장소

- 1차 : 7월(홈페이지 참고)
- 2차 : 8월(홈페이지 참고)
- 시험 장소 : 홈페이지 확인

시험 형식 및 출제 방향

- 1차 : 창의적 과학 문제 해결 능력 지필 평가
- 2차 : 융합과학 창의적 산출물 제작 활동 및 말하기 능력 수행 평가

홈페이지 http://www.kofses.or.kr

예시문제

[I] 그림과 같이 회전 바퀴에 고정된 4개의 (가), (나), (다), (라) 화분에 콩을 심은 후 바퀴를 고속으로 일정하게 회전시키면서 콩의 발아 모습을 관찰하였다. 콩이 발아한 후 (가)~(라) 화분에서 콩의 뿌리와 줄기가 자란 모습을 그림으로 나타내고 그 이유를 설명하시오.

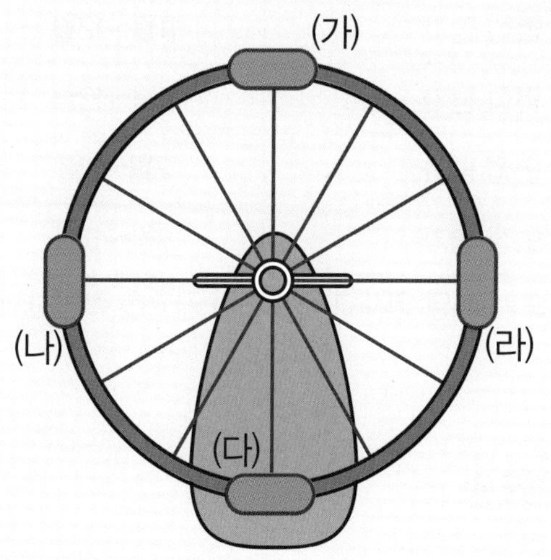

[모범답안] 바퀴를 고속으로 회전시키면 원심력에 의해 화분의 물이 바깥쪽으로 이동하므로 뿌리는 물이 있는 원 바깥 쪽으로 자라고, 줄기는 원 중심 쪽으로 자란다.

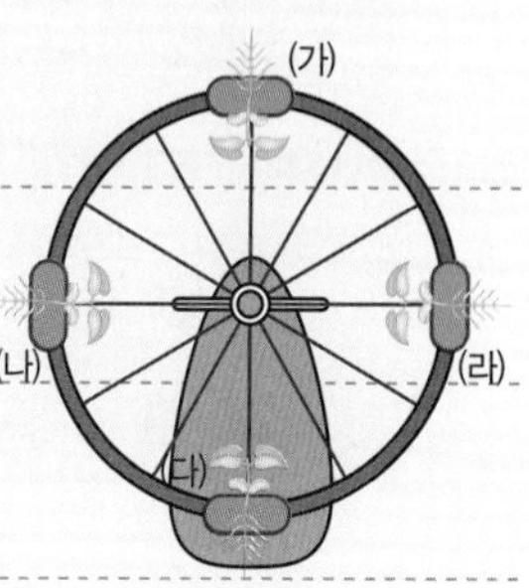

[해설] 식물의 뿌리와 줄기가 자라는 방향은 중력에 영향을 받는다. 뿌리는 물을 흡수하고 지지를 위해 중력 방향으로 흙 속을 파고들어 가고, 줄기는 빛을 받아 광합성을 하기 위해 흙 위로, 중력 반대 방향으로 자란다. 화분을 고속으로 일정하게 회전시키면 중력 대신 원심력의 영향을 받는다.

[II] 식물은 탄소, 수소, 산소, 질소, 인, 황 등 여러 가지 원소로 이루어져 있다. 식물은 이러한 원소들을 적당량 흡수해야 잘 자랄 수 있다. 같은 밭이나 화단에서 같은 식물이 성장하는 정도와 모양이 다른 것은 이런 원소 때문이다. 그림과 같이 식물이 자랐을 때 칼륨 또는 철이 부족하여 나타난 현상이라는 결론을 내리기 위해서는 어떤 실험 과정을 거쳐야 하는지 쓰시오.

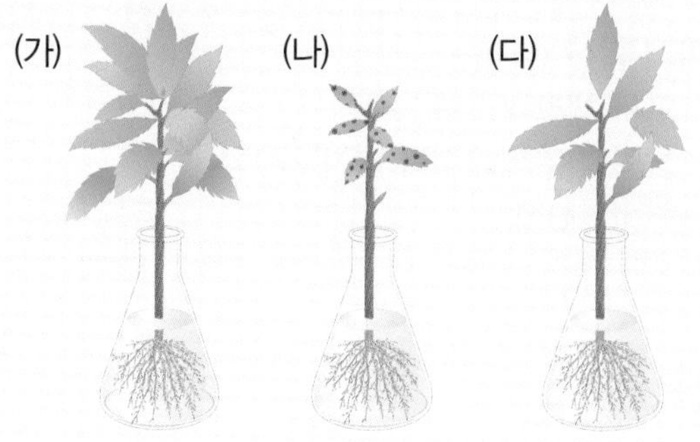

(가) 잘 자란다.
(나) 생장이 불량하고 잎에 갈색 반점이 생긴다.
(다) 생장이 늦고, 잎이 누렇게 된다.

[모범답안] 모든 원소가 풍부한 물, 칼륨만 부족한 물, 철만 부족한 물에서 식물을 키운다.

[해설] 식물이 살기 위해서는 탄소, 수소, 산소, 질소, 인산, 칼륨, 칼슘, 마그네슘, 황, 철, 붕소, 아연, 망가니즈, 몰리브데넘, 염소, 구리 등 16종의 필수 원소가 있어야 한다. 이 중에 한 가지 성분이라도 부족하면 식물이 잘 자라지 못한다. 칼륨이 부족하면 잎끝과 가장자리에 갈색 반점이 생기고, 철이 부족하면 잎이 누렇게 된다. 가설을 세워 실험을 할 때 확인하고자 하는 조건(조작 변인)만 변화시키고 나머지 변인(통제 변인)들은 모두 일정하게 유지해야 한다.

영재교육 대상자 선발

영재교육원 종류 및 시기

기관	선발 방법	선발 시기
교육지원청 영재교육원	창의적 문제해결력 및 면접 평가	11월~12월
단위학교 영재교육원	창의적 문제해결력 및 면접 평가	11월~12월
직속기관 영재교육원	창의적 문제해결력 및 면접 평가	11월~12월
영재학급	창의적 문제해결력 및 면접 평가	2월~3월
대학부설 영재교육원	창의적 문제해결력 및 면접 평가	8월~11월

※ 지역별로 선발 과정이 다를 수 있으니 반드시 해당 영재교육원 모집 공고를 확인하세요.

일정 및 방법

- **교육지원청 영재교육원 및 직속기관, 단위학교 영재교육원**

단계	주관	일정	세부 내용
지원 단계	학생	11월	• GED에서 지원서 , 자기체크리스트 작성 • 지원서를 출력하여 소속 학교 담임교사에게 제출
추천 단계	소속 학교	11월	• 담임교사 학생 지원 자료 확인 및 창의적인성검사 제출 • 학교추천위원회 학교별 지원자 명단 확인 후 최종 추천
창의적 문제해결력 및 면접 평가 단계	교육지원청	12월	• 창의적 문제해결력 및 면접 평가 실시
최종 합격자 발표	교육지원청	12월	• 아래 합산 성적순 – 교사 체크리스트 : 20점 – 창의적 문제해결력 평가 : 70점 – 면접 : 10점

유의 사항

- 동일 교육청 소속 영재교육원 중복 지원 불가
- 동일 학년도 내에서 영재교육기관 합격자는 타 영재교육기관에 지원 불가
- 중복 지원이 허용되는 경우 중복 합격이 가능하지만 중복 등록은 불가

기출문제

[I] 다음은 인공 광합성에 대한 설명이다. 인공 광합성이 인류의 삶에 미치는 영향을 3가지 서술하시오.

> 인공 광합성은 자연계의 광합성을 모방하여 이산화 탄소와 물로부터 에탄올이나 메탄올과 같은 액체 연료를 합성하는 기술로, 에너지 부족 문제를 해결할 수 있는 기술로 주목 받고 있다.
>
> • 자연 광합성 : 이산화 탄소+물 → 녹말(포도당)+산소
>
> • 인공 광합성 : 이산화 탄소+물 → 액체 연료(알코올)+산소

[모범답안]

①화석연료에 의존하고 있는 에너지 부족 문제를 해결할 수 있다.

②액체 연료를 사용하면 이산화 탄소 배출이 적어 환경오염 문제에 큰 영향을 주지 않는다.

③지구 온난화를 일으키는 이산화 탄소를 줄일 수 있다.

④식물이 살기 어려운 사막에서 에너지 생산이 가능하다.

[해설] 인공 광합성은 실제 나뭇잎이 햇빛을 이용해 이산화 탄소에서 포도당을 얻는 광합성 원리에 착안한 것으로 플라스틱 나뭇잎을 매개로 하여 화학 물질을 생산한다. 햇빛으로 이산화 탄소에서 폼산과 같은 유용한 화학 물질을 만드는 것이다. 폼산은 고무 생산, 섬유 염색, 향료 또는 연료 전지의 연료 등에 쓰이는 화학물질이다.

[II] 2010년 부산 해운대 38층 고층 건물에서 불이 났다. 4층에서 시작한 불은 건물 외벽을 타고 위로 번져나갔다. 인명 피해는 없었지만 꼭대기 층은 거의 5시간 동안이나 화염이 일어 완전히 타버렸다. 고층 건물에서 화재가 발생했을 때, 피해를 최소화 할 수 있는 시설을 5가지 서술하시오. (단, 시설은 과학적으로 타당한 시설이어야 하며, 기존 시설을 활용해도 되고 새롭게 고안해도 된다.)

[모범답안]

①물을 높은 곳까지 운반할 수 있도록 높은 수압을 공급할 수 있는 고압 펌프차가 필요하다.

②높은 곳으로 빠르게 이동할 수 있는 화재 진압용 전용 헬기가 필요하다.

③15층 이상 건물의 화재를 진압할 수 있는 50m 이상의 고가사다리차와 굴절 사다리차가 필요하다.

④고층 건물의 경우 옥상으로 대피하므로 인명 구조를 위한 헬리콥터나 구조해야 하는 사람이 있는 위치를 정확하게 파악하는 드론이나 로봇 등의 장비가 필요하다.

⑤수직 연소 확대를 방지할 수 있도록 외벽에 스프링클러 설비 보강이 필요하다.

⑥인명 대피 및 인명 구조를 위한 옥상 광장 및 헬리포트 설치가 필요하다.

[Ⅲ] 철수는 수조 안에서 검정말과 형광등으로 광합성 실험을 하려고 한다.

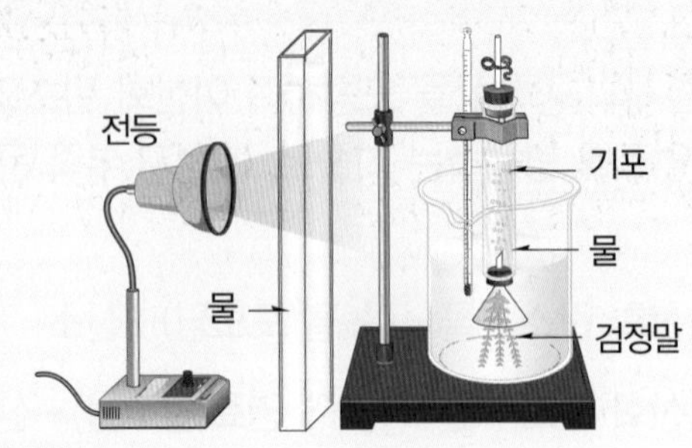

전등과 검정말 사이의 거리(cm)	0	5	10	15	20	…
검정말 기포 발생 수(개)	0	30	28	20	10	…

① 검정말이 광합성을 하고 있음을 알 수 있는 방법을 2가지 서술하시오.

[모범답안]
① 검정말에서 기포, 산소가 발생한다.
②모아진 기체에 불꽃을 가까이 하면 잘 탄다.
③검정말을 꺼내어 엽록소를 제거한 후 아이오딘-아이오딘화 칼륨 용액을 뿌리면 잎이 청람색으로 바뀐다.
[해설] 식물은 엽록체에서 빛에너지를 흡수하여 이산화 탄소와 물을 원료로 하여 포도당을 만들고 산소를 방출하는데, 이를 광합성이라고 한다. 광합성 결과 최초로 만들어지는 유기 양분은 포도당이지만 곧 녹말로 바뀌어 잎에 잠시 저장된다. 따라서 아이오딘-아이오딘화 칼륨 용액을 이용하여 광합성 산물을 확인할 수 있다.

② 기포 수를 세는데 너무 작아서 세어지지 않았다. 이를 보완할 수 있는 방법을 서술하시오.

[모범답안] 온도를 38 ℃에 가깝게 맞춰 광합성량을 최대로 하고 이산화 탄소의 용해도를 낮춘다.
[해설] 광합성 결과 산소가 만들어지고, 그중 물에 녹지 못하는 산소는 기포가 된다. 기체는 온도가 높을수록 용해도가 낮아지므로 큰 기포가 생성된다. 또한 35~38 ℃일 때 광합성량이 최대이므로 발생하는 기포의 양이 많다.

③ 기포가 너무 가끔씩 발생했다. 이를 보완할 수 있는 있는 방법을 서술하시오.

[모범답안] 물 대신 이산화 탄소가 포함된 탄산수소 나트륨 용액을 넣어주고, 온도를 38 ℃에 가깝게 맞춰 광합성량을 최대로 해준다.
[해설] 광합성은 빛의 세기, 이산화 탄소의 농도, 온도에 의해 영향을 받는다. 빛의 세기에 의한 광합성량을 알아보는 실험이므로 이산화 탄소의 농도를 높게 하고 온도를 35~38 ℃에 가까이 하면 광합성량이 최대가 된다.

[Ⅳ] 다음은 서울에서 약 한 달 간격으로 태양이 떠오르기 시작하는 위치를 나타낸 것이다. 태양이 뜨는 위치가 A → C로 변할 때 나타나는 현상을 3가지 서술하시오.

(모범답안)

①기온이 점점 올라간다.

②낮이 점점 길어진다. 해가 뜨는 시각이 점점 빨라지고, 해가 지는 시각이 점점 늦어진다.

③그림자의 길이가 점점 짧아진다.

④태양의 남중 고도가 점점 높아진다.

⑤태양이 점점 높이 떠오른다.

⑥단위 면적당 태양빛을 받는 양이 증가한다.

(해설) 태양이 뜨는 위치가 A에서 C로 변하면 태양이 점점 북쪽(북동쪽)에서 떠오르므로 봄에서 여름으로 계절이 바뀐다.

[Ⅴ] 공기가 희박한 높은 상공에서 사람이 자유낙하할 때 특수복을 입어야 한다. 다음 글을 읽고 특수복이 갖추어야 할 기능을 3가지 서술하시오.

> 오스트리아 스카이다이버 펠릭스 바움가르트너가 지상 39 km에서 자유낙하에 성공해 가장 높은 곳에서 뛰어내린 사나이가 되었다. 에베레스트산보다 4배 높고, 비행기 항로보다 3배 높은 곳에서 뛰어내린 바움가르트너는 낙하한 지 몇 초 만에 시속 1,110 km에 도달했다.

(모범답안)

①낮은 온도와 급격한 온도 변화에 견딜 수 있어야 한다.

②공기가 희박하므로 산소를 공급할 수 있어야 한다.

③공기가 희박하므로 내부 공기압을 높여 지상과 비슷한 기압을 유지할 수 있어야 한다.

④자유낙하 시 발생하는 마찰열을 견딜 수 있어야 한다.

(해설) 지상으로부터 약 40 km 지점의 기온은 −60 ℃ 정도이다. 바움가르트너는 자유낙하를 할 때 급격한 기압과 온도 변화, 마찰열로부터 자신을 보호하기 위해 특별히 제작된 특수복을 입었다. 이 옷은 내부 공기압을 인위적으로 높여 지상과 비슷한 기압을 유지해 주는 여압복으로, 외피는 −20~56 ℃에 이르는 찬 공기와 자유낙하 시 발생하는 마찰열로부터 인체를 보호하기 위해 세라믹, 광섬유와 같은 비금속 단열 소재를 사용하였다.

[Ⅵ] 다음 탐구 과제를 읽고 주어진 실험 기구 및 재료와 자료를 적절히 이용하여 탐구 과제를 해결할 수 있는 과학적 탐구 방법 3가지를 제시하고, 그에 따른 실험 결과를 예측하시오.

(가) 탐구 과제
빈 라벨이 붙어 있는 두 비커에 담겨 있는 20 ℃의 묽은 염산과 묽은 수산화 나트륨 용액을 구분하기

(나) 실험 기구 및 재료
빈 라벨이 붙어 있는 비커(100 mL), 묽은 염산, 묽은 수산화 나트륨 용액, 전자저울, 냉장고, 피펫, 뷰렛, 스포이트, 식초, 비눗물, 푸른색 리트머스 종이, 페놀프탈레인 용액, 달걀 껍데기

(다) 자료 : 1기압에서 물질의 특성

물질	염산	수산화 나트륨 용액
얼기 시작하는 온도(℃)	−18	9~10
끓기 시작하는 온도(℃)	103	119~135
20 ℃에서의 밀도(g/mL)	1.05	1.11

[모범답안]

①과학적 탐구 방법 : 두 용액을 냉장고의 냉동실(−5 ℃)에 동시에 넣고 3시간 후 확인한다.
실험 결과 : 얼지 않은 것은 묽은 염산, 얼거나 살얼음이 있는 것은 묽은 수산화 나트륨 용액이다.

②과학적 탐구 방법 : 스포이트로 두 용액을 푸른색 리트머스 종이에 한 방울씩 떨어뜨린 후 변화를 확인한다.
실험 결과 : 푸른색 리트머스 종이가 붉게 변한 것은 묽은 염산, 변화가 없는 것은 묽은 수산화 나트륨 용액이다.

③과학적 탐구 방법 : 두 용액에 페놀프탈레인 용액을 떨어뜨린 후 변화를 확인한다.
실험 결과 : 페놀프탈레인 용액의 색이 붉게 변한 것은 묽은 수산화 나트륨 용액, 변화가 없는 것은 묽은 염산이다.

④과학적 탐구 방법 : 두 용액에 달걀 껍데기를 넣은 후 변화를 확인한다.
실험 결과 : 달걀 껍데기와 반응하여 기포가 발생하는 것은 묽은 염산, 변화가 없는 것은 묽은 수산화 나트륨 용액이다.

⑤과학적 탐구 방법 : 두 용액을 10 mL씩 전자저울로 측정하여 무게를 비교한다.
실험 결과 : 무게가 약 11.1 g이면 묽은 수산화 나트륨 용액, 약 10.5 g이면 묽은 염산이다.

[VII] 다음 글을 읽고 물음에 답하시오.

다음은 몇 가지 원소의 성질을 나타낸 카드이다.

마그네슘	베릴륨	탄소	플루오린	나트륨
금속 원소	금속 원소	비금속 원소	비금속 원소	금속 원소
상태(STP) : 고체	상태(STP) : 고체	상태(STP) : 고체	상태(STP) : 기체	상태(STP) : 고체
반지름(pm) : 145	반지름(pm) : 125	반지름(pm) : 77	반지름(pm) : 71	반지름(pm) : 154
전기음성도 : 1.31	전기음성도 : 1.57	전기음성도 : 2.55	전기음성도 : 3.98	전기음성도 : 0.93
밀도(g/cm^3) : 1.74	밀도(g/cm^3) : 1.84	밀도(g/cm^3) : 2.25	밀도(g/cm^3) : 0.00171	밀도(g/cm^3) : 0.97

질소	리튬	알루미늄	수소	산소
비금속 원소	금속 원소	금속 원소	비금속 원소	비금속 원소
상태(STP) : 기체	상태(STP) : 고체	상태(STP) : 고체	상태(STP) : 기체	상태(STP) : 기체
반지름(pm) : 75	반지름(pm) : 134	반지름(pm) : 130	반지름(pm) : 37	반지름(pm) : 73
전기음성도 : 3.04	전기음성도 : 0.98	전기음성도 : 1.61	전기음성도 : 2.2	전기음성도 : 3.44
밀도(g/cm^3) : 0.00125	밀도(g/cm^3) : 0.53	밀도(g/cm^3) : 2.69	밀도(g/cm^3) : 0.00009	밀도(g/cm^3) : 0.00143

그림은 제시된 원소를 기준 (가)와 (나)로 분류한 벤 다이어그램이다.

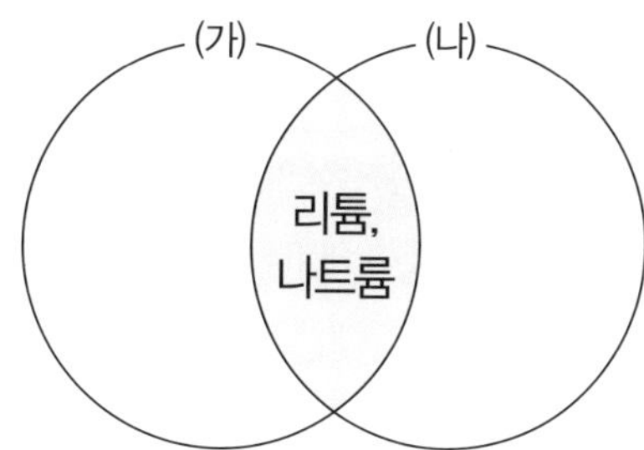

기준 (가)와 (나)로 옳은 것을 3가지 제시하시오.

번호	기준 (가)	기준 (나)
1	금속인 원소	밀도가 1g/cm^3 이하인 원소
2	전기음성도가 1 이하인 원소	밀도가 1g/cm^3 이하인 원소
3	반지름이 100pm 이상인 원소	밀도가 1g/cm^3 이하인 원소

[해설] 리튬과 나트륨의 공통적인 성질은 고체이고 금속이면서 반지름이 100pm 이상이고, 전기음성도와 밀도가 1보다 작다.

[Ⅷ] 다음 글을 읽고 '감내게줄당기기'에서 이기기 위한 과학적인 방법을 3가지 서술하시오.

감내게줄당기기는 양편에 3명, 5명, 10명 등 같은 인원을 구성하여 각자 곁줄 속에 머리를 넣어 목덜미에 줄을 걸고, 시작 신호와 함께 어깨와 허리에 힘을 주어 마치 소가 논갈이를 하듯 손과 발을 이용해 땅을 짚고 앞으로 당기면서 승부를 가리는 놀이이다. 놀이는 1에서 100까지 숫자를 세는 동안 중앙선에서 목표 지점까지 줄을 더 많이 끌어간 편이 이긴다.

[모범답안]

①신호에 맞춰 동시에 힘을 준다.

②힘의 합력이 커지도록 각 줄이 이루는 각도를 작게 한다.

③뒤로 밀려가지 않도록 몸을 앞으로 기울여 무게 중심을 앞쪽으로 한다.

④상대방 힘의 합력 방향과 정반대 방향이 아닌 비스듬하게 하여 중앙의 원이 우리 편으로 움직이도록 방향을 조절한다.

⑤작용점이 바닥에 있으므로 힘이 잘 작용할 수 있도록 최대한 몸을 바닥에 가까이 하면서 앞으로 움직인다.

⑥반작용이 크게 작용할 수 있도록 바닥에 홈을 내서 발과 손으로 홈을 반대로 밀면서 앞으로 이동한다.

[해설] 감내게줄당기기는 여러 명이 당기는 힘의 방향을 조절하고, 힘의 합력을 크게 하여 목표 지점까지 줄을 더 많이 끌어간 편이 이긴다. 힘 사이의 각도가 작을수록 힘의 합력이 커지고, 힘의 작용 방향으로 힘을 주어야 손실되는 힘을 줄일 수 있다.

기출문제

[Ⅰ] 다른 친구들과 어울리지 못하는 아이가 있을 때 나라면 어떻게 할 것인지 말해보시오.

[해설] 인성 면접 문제이다. 영재원에서는 대부분 팀으로 탐구하므로 갈등 해소 능력, 겉도는 친구를 포용하는 마음, 다른 사람의 감정을 공감하는 능력 등을 확인하는 질문이 많이 나온다. 미리 적절한 답안을 생각해보는 것이 좋다.

[Ⅱ] 돌을 운반하여 돈을 버는 아프리카 아이들을 도와줄 수 있는 방법을 말해보시오.

[모범답안]

①여러 구호단체의 모금 활동, 기부, 후원을 통해 돕는다.

②아프리카 어린이를 위해 편지를 쓴다.

③아프리카의 상황을 주변 사람들에게 알린다.

[해설] 어른이 되어서 돈을 벌어서 도와주겠다는 생각보다 지금 내가 할 수 있는 작은 도움을 생각해보는 것이 좋다.

[Ⅲ] 조별 과제를 진행하는데 한 친구가 참여하지 않고 있다면 어떻게 할 것인지 말해보시오.

[해설] 인성 면접의 경우에 영재원에서는 대부분 팀으로 탐구하므로 갈등 해소 능력, 겉도는 친구를 포용하는 마음, 다른 사람의 감정을 공감하는 능력 등을 확인하는 질문이 많다. 평상시 다른 사람을 배려하는 훈련, 나와 다른 차이점을 수용하는 마음 등을 길러 왔다면 충분히 답할 수 있다.

[Ⅳ] 실험에서 우리 조만 다른 조와 다른 결과가 나왔다면 어떻게 할 것인지 말해보시오.

[해설] 실험 결과는 가설에 맞게 변인 통제를 잘 해야 옳은 결과를 얻을 수 있다. 우리 조만 다른 조와 다른 결과가 나왔다면 가설에 맞게 변인 통제가 잘 되었는지 확인해야 한다. 변인 통제를 잘못하여 다른 조와 실험 결과가 다를 때는 다시 실험을 할 수 있는 시간과 여건이 된다면 변인 통제를 제대로 해서 실험을 하고, 다시 실험을 할 수 있는 시간과 여건이 되지 않는다면 변인 통제에서 실수한 부분으로 인한 실험 결과에 대한 실험 보고서를 작성한다.

융합인재교육 STEAM 이란?

· 수학, 과학, 기술, 공학 간 상호 연계성 고려, 학문 간 공통 핵심 요소 중심으로 교육

· 예술적 소양을 함양하고 타 학문에 대한 이해가 깊은 미래형 인재 양성으로 교육

[자료 출처 : 한국과학창의재단]

융합인재교육은 과학기술공학과 관련된 다양한 분야의 융합적 지식, 과정, 본성에 대한 흥미와 이해를 높여 창의적이고 종합적으로 문제를 해결할 수 있는 융합적 소양(STEAM Literacy)을 갖춘 인재를 양성하는 교육이라고 정의하고 있다. 학습자가 실제 문제 상황을 다양하게 설계하고 해결하는 과정을 통해 새로운 개념을 생성하고, 창의적으로 설계하며, 더불어 사는 인성, 즉 사회적 감성을 발달하도록 하는 것이다.

이러한 융합인재교육(STEAM)의 목적은 다음과 같이 정리할 수 있다.

- 빠르게 변화하는 사회 변화의 적응력을 높이는 것이다.
- 개인의 창의인성, 지성과 감성의 균형 있는 발달을 돕는 것이다.
- 타인을 배려하고 협력하며, 소통하는 능력을 함양하는 것이다.
- 과학 효능감과 자신감, 과학에 대한 흥미 등을 증진시킴으로써 과학 학습에 대한 동기 유발을 높이는 것이다.
- 융합적 지식 및 과정의 중요성을 인식시키는 것이다.
- 학습자 중심의 수평적 융합적 교육으로 전환하는 것이다.
- 합리적이고 다양성을 인정하는 문화 형성에 기여하는 것이다.
- 대중의 과학화를 기반으로 한 합리적인 사회를 구성하는 데 기여하는 것이다.
- 창조적 협력 인재를 양성하는 것이다.
- 수학, 과학, 기술, 공학 간 상호 연계성 고려, 학문 간 공통 핵심 요소 중심으로 교육
- 예술적 소양을 함양하고 타 학문에 대한 이해가 깊은 미래형 인재 양성으로 교육

안쌤의 창의적 문제해결력 시리즈

초등 1~2 학년

초등 3~4 학년

초등 5~6 학년

중등 1~2 학년

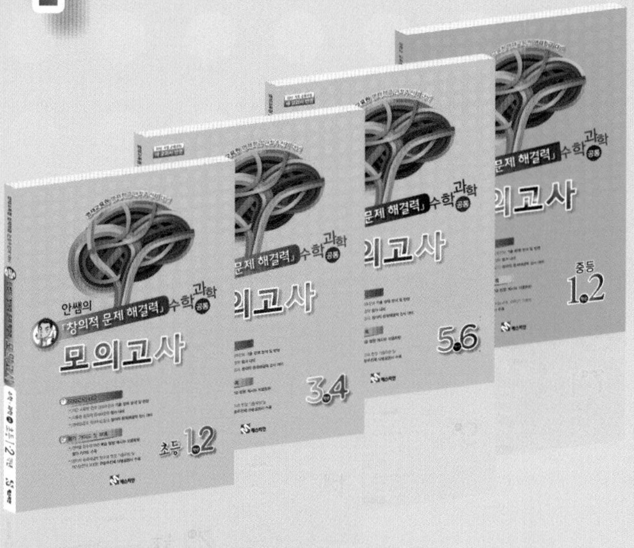

안쌤의

줄기과학 시리즈

새 교육과정
3~4학년
학기별
STEAM 과학

3-1 8강 3-2 8강 4-1 8강 4-2 8강

새 교육과정
5~6학년
학기별
STEAM 과학

5-1 8강 5-2 8강 6-1 8강 6-2 8강

새 교육과정
중등 영역별
STEAM 과학

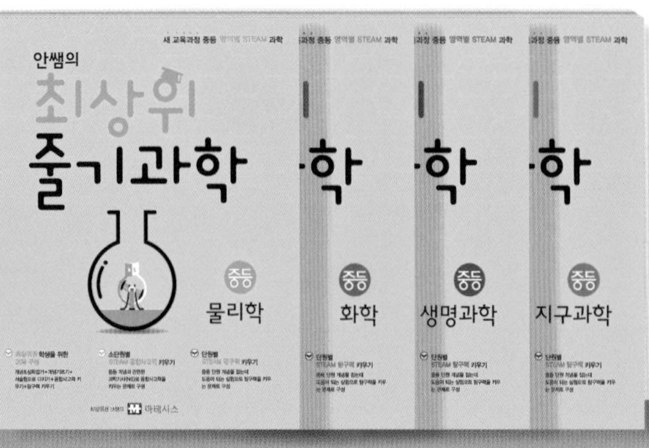

물리학 24강 화학 16강 생명과학 16강 지구과학 16강 물리학 워크북 화학 워크북

영재교육원 영재학급 관찰추천제 대비

5일 완성 프로젝트

파이널

안쌤의 창의적 문제해결력

과학 50제

정답 및 해설

파이널 50제 5강 구성

★ 영재성검사, 창의적 문제해결력 평가 및 검사, 창의탐구력 검사에 공통으로 출제되는 과학 사고력, 과학 창의성, 과학 STEAM(융합사고) 문제 유형으로 구성

★ 서술형 채점 기준으로 자신의 답안을 채점하면서 답안 작성 능력을 향상시킬 수 있도록 구성

부록 |

50제 시리즈로 대비할 수 있는 과학 대회 안내

한국과학창의력대회, 영재교육원 선발에 대한 안내와 기출 유형 문제 수록

중등 1~2학년

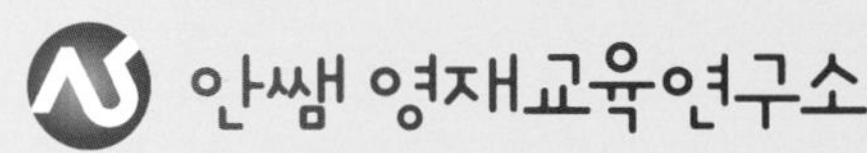

상위 1%가 되는 길로 안내하는 이정표로,
학생들이 꿈을 이루어갈 수 있도록 콘텐츠 개발과 강의 연구를 하고 있다.

저자 **안쌤 영재교육연구소**

안재범, 최은화, 유나영, 이상호, 추진희, 오아린, 허재이, 이민숙, 이나연, 김혜진, 김샛별

검수

강동규, 강미라, 김민경, 김종욱, 배정인, 이은범, 전익찬, 정영숙, 정지윤, 정회은, 최현규

이 교재에 도움을 주신 선생님

고려욱, 김민정, 김성희, 김은수, 김정숙, 김정아, 김주석, 김진남, 김현민, 김희진, 마성재, 박선재, 박은아, 박재현, 박진국, 백광열, 서윤정, 손현선, 신석화, 신한규, 안혜정, 어유선, 우마리아, 유경아, 유승희, 유영란, 유지유, 윤선애, 윤이현, 이석영, 이은덕, 임선화, 임성은, 임은란, 장수진, 전진홍, 전희원, 정대현, 조영부, 채윤정, 채중석, 최용덕, 추지훈, 하정용

영재교육원 영재학급 관찰추천제 대비

5일 완성 프로젝트

파이널

안쌤의 창의적 문제해결력

과학 50제

정답 및 해설

중등 1~2 학년

과학 1강

문항 구성 및 채점표

문항 \ 평가영역	과학 사고력		과학 창의성		과학 STEAM	
	개념 이해력	탐구 능력	유창성	독창성 및 융통성	문제 파악 능력	문제 해결 능력
1	점					
2	점					
3		점				
4	점					
5			점	점		
6			점	점		
7			점	점		
8			점	점		
9					점	점
10					점	점

평가영역별 점수	개념 이해력	탐구 능력	유창성	독창성 및 융통성	문제 파악 능력	문제 해결 능력
	과학 사고력		과학 창의성		과학 STEAM	
	/ 40점		/ 30점		/ 30점	
총점						

평가 결과에 따른 학습 방향

영역	점수	학습 방향
사고력	35점 이상	정확하게 답안을 작성하는 연습을 하세요.
	24~34점	교과 개념과 연관된 응용문제로 문제 적응력을 기르세요.
	23점 이하	틀린 문항과 관련된 교과 개념을 다시 공부하세요.
창의성	26점 이상	보다 독창성 및 융통성 있는 아이디어를 내는 연습을 하세요.
	18~25점	다양한 관점의 아이디어를 더 내는 연습을 하세요.
	17점 이하	적절한 아이디어를 더 내는 연습을 하세요.
STEAM	26점 이상	답안을 보다 구체적으로 작성하는 연습을 하세요.
	18~25점	문제 해결 방안의 아이디어를 다양하게 내는 연습을 하세요.
	17점 이하	실생활과 관련된 과학 기사로 과학적 사고를 확장하는 연습을 하세요.

정답 및 해설

모범답안

해양 지각은 대륙 지각에 비해 밀도가 크므로 두 지각이 만나면 해양 지각은 아래로 내려가서 계속 사라지고 만들어지는 과정을 반복하지만, 대륙 지각은 사라지지 않고 계속 유지되기 때문이다.

요소별 채점 기준	점수
해양 지각과 대륙 지각의 밀도를 서술한 경우	4점
해양 지각의 침강을 서술한 경우	4점

[해설]

대륙 지각은 화강암질 암석으로 평균 밀도가 2.7 g/cm^3이고 해양 지각은 주로 현무암질로 평균 밀도가 3.0 g/cm^3이다. 해양 지각의 밀도가 대륙 지각의 밀도보다 크므로 해양 지각과 대륙 지각이 만나면 밀도가 큰 해양 지각이 아래로 내려가 소멸된다. 대륙 지각은 거의 안정하여 소멸되지 않지만, 마그마 활동이 활발한 지역에서 일부 소멸되고 일부 침식된다.

모범답안

관다발의 바깥 부분에 있는 체관이 잘려 나가 잎에서 생성된 유기 양분이 뿌리로 내려가지 못하고 열매로 옮겨가게 함으로써 열매가 짧은 시간에 자라게 하기 위해서이다.

요소별 채점 기준	점수
체관이 잘려짐을 서술한 경우	4점
영양분이 열매로 옮겨가 빨리 자람을 서술한 경우	4점

[해설]

환상박피는 식물체에서 수분의 이동이 물관부에서 일어나는 것을 증명하기 위해 시행한 실험 또는 그 방법이다. 나무줄기에서 형성층의 바깥 부분을 환상(둥근 모양)으로 잘라내고 물관부만을 남기면 뿌리에서의 물의 상승을 방해하지 않아 잎이 시들지 않는다. 만약 형성층을 포함하여 안쪽의 목질부까지 제거하면 뿌리에서 흡수한 물이 윗부분까지 올라가지 못하므로 나무가 말라 죽는다. 이 방법은 원예 분야에서는 잎에서 형성된 광합성 산물이 하부로 이동하는 것을 막고 과수 결실성 등을 향상하기 위해 쓰인다. 단, 옥수수처럼 형성층이 없는 외떡잎식물은 환상박피를 적용할 수 없다.

모범답안

03

암실에 둔 페트리 접시의 시금치 잎판은 큰 변화가 없다. 30 cm 위에 전등을 둔 페트리 접시의 시금치 잎판은 일부가 떠오르고, 10cm 위에 전등을 둔 페트리 접시의 시금치 잎판은 많은 수가 떠오른다. 시금치 잎판이 빛을 받으면 광합성을 하여 산소가 생성되어 밀도가 낮아지므로 위로 떠오른다. 빛의 세기가 강할수록 광합성량이 많으므로 산소가 많이 생성되어 시금치 잎판이 더 많이 떠오른다.

요소별 채점 기준	점수
잎판의 변화를 바르게 서술한 경우	4점
변화의 이유를 바르게 서술한 경우	4점

[해설]

주사기에 탄산수소 나트륨 수용액을 넣고 시금치를 넣으면 시금치가 수용액 위에 뜬다. 피스톤을 여러 번 잡아당기면 주사기 안의 압력이 낮아져 시금치 잎 속의 공기가 팽창하여 밖으로 나오므로 가라앉는다. 이후 빛을 받은 시금치는 광합성에 의해 산소를 생성하고 탄산수소 나트륨 수용액 위로 떠오른다.

모범답안

- 지구에서 멀어질수록 중력이 약해져 지구탈출속도가 줄어들기 때문이다.
- 우주선이 가속되기 때문이다.

총체적 채점 기준	점수
두 가지 이유를 서술한 경우	8점
한 가지 이유를 서술한 경우	4점

[해설]

지구탈출속도란 물체가 중력권에서 벗어날 수 있는 최소한의 속도이다. 실제로 우주선은 연료를 태워 발생하는 에너지로 가속되므로 초기 속도가 지구탈출속도보다 느려도 탈출할 수 있다. 만약 1초에 1 m씩 위로 일정한 속도로 이동이 가능한 우주선이 있다면 느린 속도로도 지구를 탈출할 수 있다. 하지만 시간도 오래 걸리고 돈도 많이 들기 때문에 실제로 그렇게 하지는 않는다.

05

예시답안

- 금은 두드려서 다른 모양으로 만들 수 있지만, 황철석은 안된다.
- 금은 가늘게 늘리거나 작게 자를 수 있지만, 황철석은 안된다.
- 조흔판에 긁어보면 금은 노란색이지만, 황철석은 검은색이다.
- 황철석은 철로 때리면 불꽃이 일어나지만, 금은 안된다.
- 밀도를 비교해본다.

※ 유창성 [6점]

총체적 채점 기준	점수
세 가지 방법을 서술한 경우	6점
두 가지 방법을 서술한 경우	4점
한 가지 방법을 서술한 경우	2점

※ 독창성 및 융통성 [4점]

요소별 채점 기준	점수
조흔색을 이용한 경우	2점
굳기를 이용한 경우	2점

[해설]

금과 황철석은 겉보기 색깔이 노란색으로 같으므로 밀도나 굳기로 구분해야 한다. 금은 무르고 황철석은 금보다 2배 정도 단단하므로 모양을 바꾸기 어렵다. 금의 밀도는 19.3 g/cm^{3}이고, 황철석의 밀도는 철과 황의 비율에 따라 4.8~5 g/cm^{3}이다.

06

예시답안

- 뿌리털을 보호하기 위해 식물 뿌리 주위의 흙을 함께 옮긴다.
- 증산 작용을 줄이기 위해 나뭇가지를 자른다.
- 뿌리의 지지 작용을 돕기 위해 지지대를 세운다.
- 나무를 옮겨 심은 후 땅속 깊은 곳까지 물을 공급하여 공기층을 없애고 흙과 뿌리가 밀착되도록 한다.
- 나무를 뽑은 후 곧바로 운반하고 빨리 옮겨 심어 뿌리가 마르는 것을 막는다.
- 깊이 심으면 뿌리가 호흡을 못 하므로 깊이 심지 않는다.

※ 유창성 [6점]

총체적 채점 기준	점수
다섯 가지를 서술한 경우	6점
네 가지를 서술한 경우	5점
세 가지를 서술한 경우	4점
두 가지를 서술한 경우	3점
한 가지를 서술한 경우	1점

※ 독창성 및 융통성 [4점]

요소별 채점 기준	점수
뿌리털 보호를 위해 뿌리 주위의 흙을 함께 옮기는 것을 서술한 경우	2점
증산 작용을 줄이기 위한 가지치기를 서술한 경우	2점

[해설]

나무를 옮겨 심으면 뿌리가 흙과 붙어 있는 것이 아니라 중간에 공기가 있어 떠 있는 상태가 된다. 비가 오면 빗물의 일부분은 땅속으로 스며들고(중력수) 흡수되지 못한 나머지는 지표면을 따라 흐른다. 땅속에 스며든 물은 중력에 의해 지하로 계속 내려가서 지하수가 된다. 비가 오지 않고 땅속에 수분이 부족하면 삼투압이 생기게 되고 삼투현상에 의해 지하수가 지표면까지 올라온다. 그러나 뿌리와 흙 사이에 공기가 있어 떠 있게 되면 물이 올라오지 못하므로 나무가 말라 죽는다.

나무를 옮겨 심은 후, 고무호스를 뿌리 주위 흙 깊숙이 찔러 넣고 물을 주면(관수) 떠 있던 공간이 물이나 흙으로 채워져 뿌리가 흙과 밀착된다. 큰 나무일수록 뿌리가 크고 넓게 뻗으므로 옮겨 심는 나무가 작을 경우 큰 나무 옆에 심지 않아야 한다. 나무를 옮겨 심은 주위를 비닐로 덮어주면 풀이 자라지 않고 땅 온도가 높아져 생장이 촉진된다.

예시답안

- 공기가 없어 공기와의 마찰을 이용한 변화구를 던질 수 없으므로 타자가 치기 어렵게 공을 작게 만든다.
- 우주복을 입어서 달리기가 쉽지 않으므로 1, 2, 3루 사이의 거리를 지구에서의 절반으로 한다.
- 중력이 작아 타구가 멀리 날아가므로 구장의 크기를 지구 크기의 2배로 한다.
- 공이 우주 밖으로 날아가는 경우가 많으므로 홈런은 공이 눈에서 사라지는 것으로 정하고 심판이 판단한다.
- 방망이와 공은 탄성이 약한 플라스틱으로 만들어 공이 너무 멀리 날아가지 않도록 한다.
- 밤에는 매우 춥고 낮에는 매우 더우므로 아침이나 저녁에 경기를 한다.
- 공이 경기장 안에서 높이 솟아서 1분 안에 떨어지지 않으면 파울로 인정한다.
- 공이 멀리 날아갈 경우 외야수는 별도의 차량을 이용해 공을 주워올 수 있다.

※ 유창성 [6점]

총체적 채점 기준	점수
세 가지 방법을 고안한 경우	6점
두 가지 방법을 고안한 경우	4점
한 가지 방법을 고안한 경우	1점

※ 독창성 및 융통성 [4점]

요소별 채점 기준	점수
야구공의 변화를 서술한 경우	2점
야구장의 크기를 서술한 경우	2점

[해설]

달은 지표면에서의 중력이 매우 약하기 때문에 대기를 유지할 수 없다. 따라서 현재 달에는 대기가 거의 없고, 태양풍만으로도 달 내부에서 나온 미소량의 가스를 충분히 날릴 수 있을 정도이다. 달은 수성과 같이 대기가 거의 없기 때문에 온도 변화가 약 100 ℃~400 ℃로 아주 크다.

예시답안

- 신발 밑창의 재질로 잘 미끄러지지 않는 고무를 사용한다.
- 신발 밑창에 돌기를 만든다.
- 신발 밑창에 빨판을 붙인다.
- 신발 밑창의 돌기를 탄성체로 감싸 얼음이 흡착되는 것을 방지한다.
- 벨크로나 똑딱단추를 사용하여 빙판길을 걸을 때 신발 앞에 미끄럼 방지 돌기를 간편하게 붙인다.
- 신발 밑창의 돌기를 회오리 구조로 만들어 마찰력을 증가시킨다.
- 신발 밑창 내부에 스파이크를 설치하고, 필요할 때 펌프로 스파이크를 신발 밑창 밖으로 빼서 마찰력을 증가시킨다.
- 신발 밑창 내부에 스파이크를 설치하고, 신발 밑창 표면의 미끄러짐 감지 센서에 의해 스파이크가 밑창 밖으로 빠져 마찰력을 증가시킨다.
- 신발 바닥면 전체에 홈을 파서 수막이 생기지 않도록 하여 미끄러짐을 방지한다.

※ 유창성 [6점]

총체적 채점 기준	점수
세 가지 방법을 고안한 경우	6점
두 가지 방법을 고안한 경우	4점
한 가지 방법을 고안한 경우	1점

※ 독창성 및 융통성 [4점]

요소별 채점 기준	점수
신발 재질이나 바닥 모양을 변화시킨 경우	2점
마찰력을 크게 할 수 있는 물체를 추가한 경우	2점

[해설]

신발과 바닥의 마찰력을 크게 하는 방법을 이용한다.

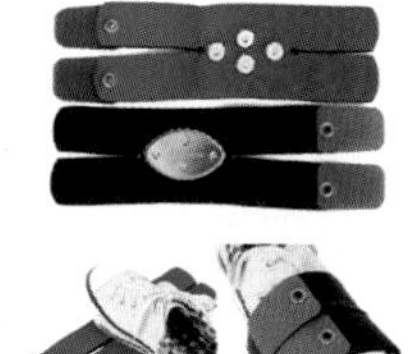

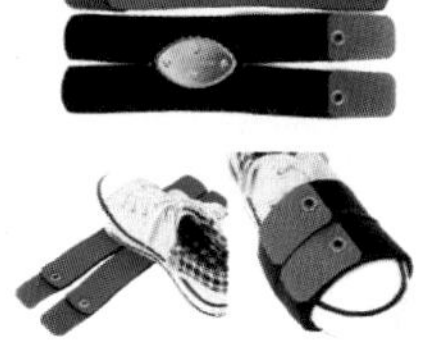

신발에 붙여 쓰는 아이젠

신발 밑창의 회오리 구조

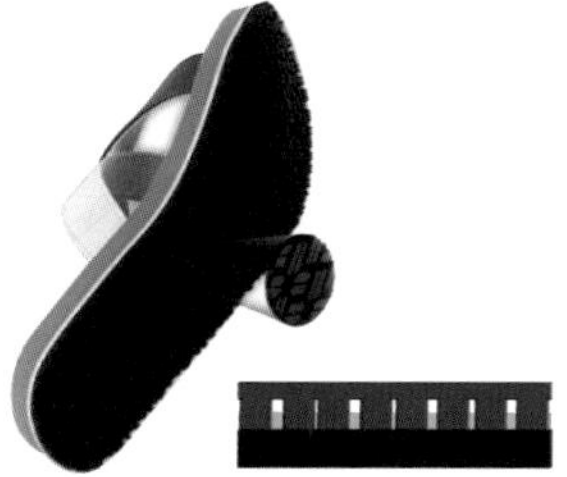

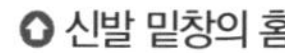

신발 밑창의 홈

문어 빨판 신발 밑창

예시답안

❶

- 가뭄과 이상 고온 현상에 의해 나무가 자라는 것보다 말라 죽는 경우가 늘어나고 농경지 확장, 광산 개발, 화석 연료 추출 등에 의한 벌목으로 나무의 양이 줄어들어 광합성량이 줄었기 때문이다.
- 죽은 나무가 분해되면서 이산화 탄소를 배출하기 때문이다.

요소별 채점 기준	점수
광합성에 관해 서술한 경우	3점
죽은 나무가 분해되면서 이산화 탄소가 배출됨을 서술한 경우	3점

❷

- 산소 공급량이 줄어들어 산소 부족 현상이 나타날 것이다.
- 동물들의 먹이와 서식지가 사라지므로 야생동물과 야생식물 멸종 등 생태계가 파괴될 것이다.
- 광합성을 하는 식물이 줄어들어 이산화 탄소가 증가하여 지구 온난화가 가속될 것이다.
- 지구 온난화에 의해 가뭄이나 홍수와 같은 기상 이변이 자주 나타날 것이다.
- 지구 온난화에 의한 해수면 상승으로 인해 환경 재앙이 나타날 것이다.
- 식물이 흡수하는 물의 양이 줄어들고 흘러가 버리는 양이 많아져 강수량이 줄어들 것이다.

총체적 채점 기준	점수
다섯 가지 현상을 서술한 경우	8점
네 가지 현상을 서술한 경우	6점
세 가지 현상을 서술한 경우	4점
두 가지 현상을 서술한 경우	2점
한 가지 현상을 서술한 경우	1점

[해설]

❶ 아마존 강 유역의 열대 우림은 광합성을 통해 공기 중의 많은 양의 이산화 탄소를 흡수하고 생물들의 호흡에 필요한 산소를 공기 중으로 대량 방출하므로 지구의 허파라고 불린다. 그러나 1980년대 중반 이후 아마존 열대 우림의 나무가 말라 죽는 비율이 30 % 이상 높아진 것으로 나타났다. 또한, 가뭄이라는 극한 상황에서는 식물이 광합성을 억제하고 성장에 집중하므로 광합성보다 호흡량이 증가하여 이산화 탄소 흡수량이 줄어든다. 살아 있는 나무는 광합성에 필요한 이산화 탄소를 흡수하지만, 죽은 나무는 이산화 탄소를 흡수하지 못할 뿐 아니라 썩으면서 이산화 탄소를 배출한다.

❷ 열대 우림은 세계 강수량의 70 %를 받아들이고, 내린 비를 증기로 바꾸며 열을 저장하고 방출한다. 이것은 일차적인 지구 열 재분배이다. 열대 우림이 파괴되면 미 서부의 강수량과 강설량이 눈에 띄게 줄어들고 수자원과 식량 부족 및 산불 위험을 증가시킬 수 있다.

예시답안

10

❶ 사이클로이드에서는 직선보다 중력에 의한 가속도가 줄어드는 정도가 작으므로 초기 급경사일 때 충분한 가속도를 얻어 빠르게 통과하고, 완만한 지점에서는 관성으로 빠르게 이동한다.

요소별 채점 기준	점수
중력에 의한 가속도 감소 비율을 서술한 경우	3점
관성을 서술한 경우	3점

❷
- 기와 : 빗물을 가장 빨리 흘려보낼 수 있다.
- 우산 : 빗물을 가장 빨리 흘려보낼 수 있다.
- 비닐하우스 지붕 : 겨울에 눈이 빨리 흘러내리도록 하여 눈이 쌓여 비닐하우스가 무너지는 것을 막을 수 있다.
- 롤러코스터 레일 : 롤러코스터가 빠른 속력으로 내려오므로 스릴을 느낄 수 있다.

총체적 채점 기준	점수
세 가지 현상을 서술한 경우	8점
두 가지 현상을 서술한 경우	5점
한 가지 현상을 서술한 경우	2점

[해설]

❶ 사이클로이드는 직선보다 더 먼 거리를 돌아가지만, 가장 빨리 목적지에 도착하는 최단강하 곡선이다.

사이클로이드

❷
- 우리나라 전통 기와는 사이클로이드 곡선 모양으로 이루어져 있어 빗물이 빨리 흘러내리므로 빗물이 기와에 스며들어 목조 건물이 썩는 것을 방지한다. 숭례문 화재 때 비교적 초기에 발견하여 5시간 동안 진화 작업을 했는데도 사이클로이드 곡선으로 지어진 기와 때문에 물이 내부로 들어가지 않고 흘러서 숭례문이 모두 타버렸다.
- 독수리가 토끼나 들쥐 등 먹이를 잡을 때 직선으로 비행하는 것이 아니라 사이클로이드에 가깝게 곡선으로 비행하여 빨리 내려와서 먹이를 잡는다.
- 잉어 비늘의 곡선은 사이클로이드 곡선 모양으로 이루어져 있어 물이 가장 빨리 흘러내리고 빠른 속도로 물살을 가르고 다닐 수 있다.

기와의 사이클로이드 곡선

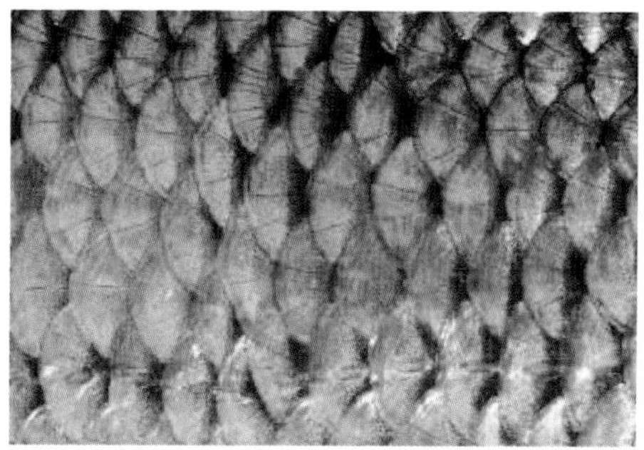
잉어 비늘의 사이클로이드 곡선

과학 2강

문항 구성 및 채점표

문항 \ 평가영역	과학 사고력		과학 창의성		과학 STEAM	
	개념 이해력	탐구 능력	유창성	독창성 및 융통성	문제 파악 능력	문제 해결 능력
11	점					
12	점					
13		점				
14	점					
15			점	점		
16			점	점		
17			점	점		
18			점	점		
19					점	점
20					점	점

평가영역별 점수	개념 이해력	탐구 능력	유창성	독창성 및 융통성	문제 파악 능력	문제 해결 능력
	과학 사고력		과학 창의성		과학 STEAM	
	/ 40점		/ 30점		/ 30점	

총점	

평가 결과에 따른 학습 방향

사고력	35점 이상	정확하게 답안을 작성하는 연습을 하세요.
	24~34점	교과 개념과 연관된 응용문제로 문제 적응력을 기르세요.
	23점 이하	틀린 문항과 관련된 교과 개념을 다시 공부하세요.
창의성	26점 이상	보다 독창성 및 융통성 있는 아이디어를 내는 연습을 하세요.
	18~25점	다양한 관점의 아이디어를 더 내는 연습을 하세요.
	17점 이하	적절한 아이디어를 더 내는 연습을 하세요.
STEAM	26점 이상	답안을 보다 구체적으로 작성하는 연습을 하세요.
	18~25점	문제 해결 방안의 아이디어를 다양하게 내는 연습을 하세요.
	17점 이하	실생활과 관련된 과학 기사로 과학적 사고를 확장하는 연습을 하세요.

모범답안

11 유리관이 있는 곳이 따뜻해지면 관 속 공기 분자의 움직임이 활발해져 부피가 팽창하므로 물의 높이가 내려가고, 반대로 추워지면 관 속 공기 분자의 움직임이 둔해져 부피가 수축하므로 물의 높이가 올라간다.

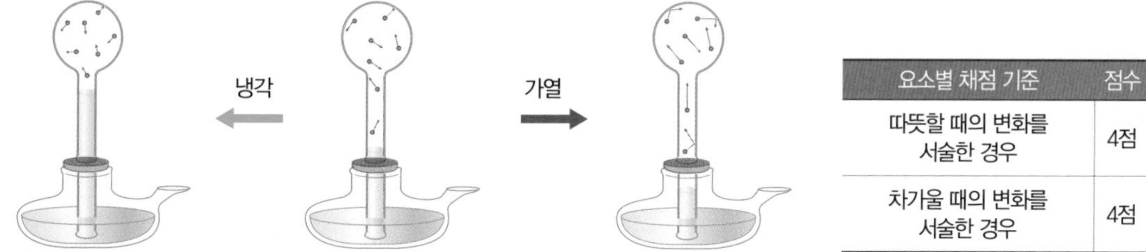

요소별 채점 기준	점수
따뜻할 때의 변화를 서술한 경우	4점
차가울 때의 변화를 서술한 경우	4점

[해설]

1654년에 투스카니 페르디난드 2세가 대기압의 영향을 받지 않는 온도계를 고안했다. 이 온도계는 작은 공 모양의 둥근 용기 속에 얇은 관을 꽂고 그 속에 액체를 넣은 것으로, 용기 안에 공기가 전혀 들어 있지 않았다. 액체는 기체만큼 많이 팽창하거나 수축하지는 않으나, 얇은 관 안에 있어서 조금만 팽창 · 수축해도 관 속에 든 액체의 높이 변화를 확인할 수 있다.

모범답안

12 크리스마스 전구 끝에 바이메탈을 연결하고 바이메탈이 스위치 역할을 하게 한다. 전구에 전류가 흘러 열이 발생하면 바이메탈이 휘어져 전류가 끊어져 전구가 꺼지고, 바이메탈이 식으면 다시 원래의 모양으로 돌아와 전류가 흘러 빛이 들어온다.

요소별 채점 기준	점수
바이메탈을 서술한 경우	2점
바이메탈의 작동 원리를 서술한 경우	6점

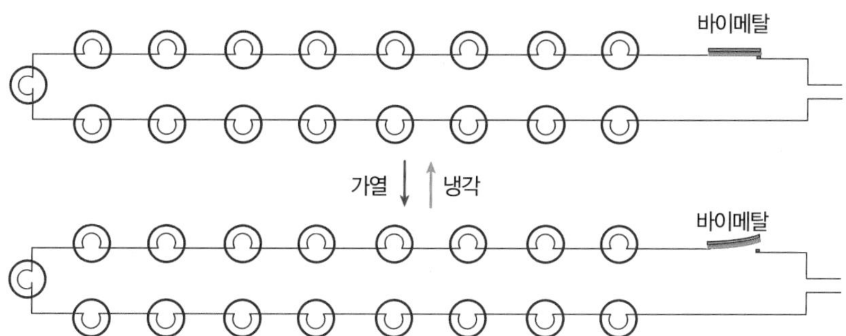

[해설]

크리스마스트리 전구를 직렬연결된 두 줄로 만들고 제일 앞의 전구에 바이메탈을 연결하면 두 줄이 번갈아가면서 깜박이게 할 수 있다. 전구의 여러 줄을 직렬연결하고 직렬연결된 제일 앞의 전구에 다른 성능을 지닌 바이메탈을 사용하면 시간 차이를 두고 깜박이게 할 수 있다. 요즘 제품들은 바이메탈 대신 전자부품으로 구성하여 깜박이는 것을 여러 가지 상태로 조정한다.

모범답안

13

- **전등을 비추기 전 :** 깊이에 따른 수온이 일정하다.
- **전등을 비추었을 때 :** 표면이 전등의 열에너지를 대부분 흡수하므로 표면의 수온이 가장 높고 깊어질수록 수온이 낮아진다.
- **수면 위를 부채질했을 때 :** 바람의 영향으로 해수 표면의 물이 잘 섞여 온도가 일정한 층이 생성된다.

요소별 채점 기준	점수
세 가지 항목을 모두 바르게 서술한 경우	8점
두 가지 항목만 바르게 서술한 경우	5점
한 가지 항목만 바르게 서술한 경우	2점

[해설]

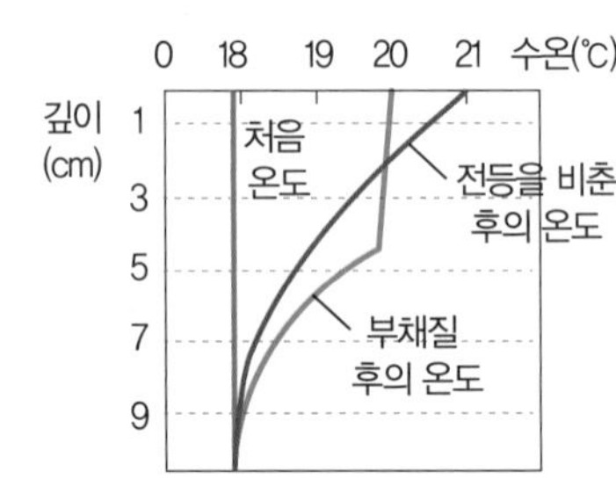

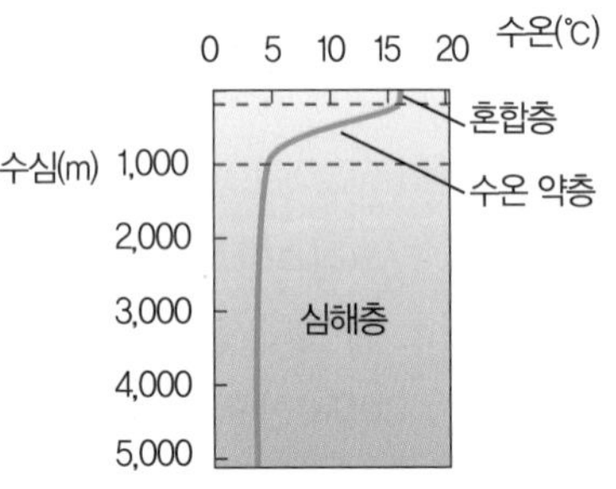

태양 복사 에너지를 직접 흡수하여 수온이 올라가는 부분이 혼합층이다. 바람에 의해 혼합되므로 수온이 일정하고 바람이 강할수록 혼합층의 두께가 깊어진다. 수온이 급격히 낮아지는 구간은 수온 약층이다. 아래쪽으로 갈수록 수온이 낮아지므로 해수가 잘 섞이지 않아 혼합층과 심해층의 물질과 에너지 교환을 차단한다. 수온 약층은 혼합층과 심해층의 온도 차이가 큰 여름철에 가장 뚜렷하게 나타난다. 수온이 매우 낮고 계절과 관계없이 일정한 수온을 유지하는 곳은 심해층이다. 심해층은 햇빛이나 바람의 영향을 거의 받지 않는다.

모범답안

14 지구 온난화로 인해 고위도와 저위도의 수온 차이가 작아지고 극지방의 얼음이 녹아 염분이 낮아지면 심층 순환이 약해진다. 그래서 저위도 지역은 열이 축적되어 매우 뜨거워지고, 고위도 지역은 혹독하게 추워질 것이다.

요소별 채점 기준	점수
심층 순환이 약해지는 원인을 바르게 서술한 경우	4점
저위도와 고위도의 열에 관해 바르게 서술한 경우	4점

[해설]

심층 순환은 저위도 지역의 남은 열을 고위도 지역으로 운반하여 공급하는 중요한 역할을 한다. 북대서양에서 염분이 높고 차가운 해수가 가라앉고 남극의 물과 혼합되어 더 차가워진 후, 남극 주변을 따라 흐른다. 인도양과 태평양까지 이동하는 동안 따뜻한 물과 혼합되면서 수온이 높아져 상승하면 표층 순환과 연결되어 다시 북대서양까지 흐른다.

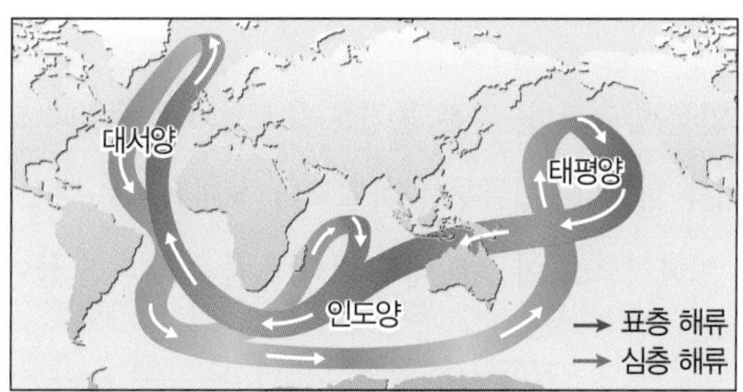

예시답안

15

- 가벼운 비닐봉지를 사용한다.
- 큰 비닐봉지를 사용하여 뜨거운 공기를 많이 모은다.
- 뜨거운 공기가 잘 빠져나가지 않도록 입구를 좁게 만든다.
- 공기 저항을 적게 받도록 유선형으로 만든다.
- 알코올이 한 번에 타지 않고 천천히 탈 수 있도록 알코올램프 형태로 만든다.
- 한 번에 타지 않고 천천히 오래 타는 연료를 사용한다.
- 기온이 낮은 겨울에 실험한다.

※ 유창성 [6점]

총체적 채점 기준	점수
세 가지 방법을 서술한 경우	6점
두 가지 방법을 서술한 경우	4점
한 가지 방법을 서술한 경우	2점

※ 독창성 및 융통성 [4점]

요소별 채점 기준	점수
비닐 봉지의 크기, 모양, 무게를 변화시킨 경우	2점
연료를 변화시킨 경우	2점

[해설]

알코올을 묻힌 솜을 태우면 열기구 비닐 안의 공기가 데워진다. 열기구 비닐 안의 공기 온도가 비닐 밖의 공기보다 높아지면 내부 공기의 밀도가 작아진다. 열기구 속에 있는 공기는 아래 방향으로 중력을 받고 바깥의 찬 공기보다 가벼우므로 위쪽으로 부력을 받는다. 열기구 속에 뜨거운 공기가 가득 차서 부력이 중력보다 크게 되면 열기구가 떠오른다.

예시답안

16

- 겨울철 오렌지 나무에 물을 뿌려 오렌지의 냉해를 방지한다.
- 겨울에 과일 저장 창고에 큰 물그릇을 놓아둔다.
- 이누이트는 날씨가 추워지면 이글루 얼음 바닥에 물을 뿌려 추위를 이겨 낸다.
- 액체 손난로에 충격을 주면 액체가 고체로 변하면서 열을 발생한다.

※ 유창성 [6점]

총체적 채점 기준	점수
세 가지 방법을 서술한 경우	6점
두 가지 방법을 서술한 경우	4점
한 가지 방법을 서술한 경우	2점

※ 독창성 및 융통성 [4점]

요소별 채점 기준	점수
과일의 냉해 방지에 관해 서술한 경우	2점
이글루나 액체 손난로를 서술한 경우	2점

[해설]

액체가 고체로 상태 변화할 때 응고열을 방출한다. 같은 물질은 응고열과 융해열의 크기가 같다. 추운 북쪽 지방 사람들은 이글루라는 형태의 거주지에서 추위를 피한다. 이글루는 바깥보다 상대적으로 따뜻한 것이지 절대적으로 따뜻한 온도는 아니다. 이누이트가 사는 곳은 0 ℃ 이하이므로 이글루 내부 바닥에 물을 뿌리면 물이 얼음으로 변하고, 이때 방출된 응고열이 이글루를 따뜻하게 한다.

예시답안

17

- 기차의 레일처럼 이음새를 만든다.
- 송유관이나 가스관을 연결할 때처럼 굽은 부분(ㄷ자형)이 생기도록 이어 붙인다.
- 햇빛을 받지 않는 부분에 철보다 열팽창률이 높은 금속을 덧댄다.

※ 유창성 [6점]

총체적 채점 기준	점수
두 가지 방법을 서술한 경우	6점
한 가지 방법을 서술한 경우	3점

※ 독창성 및 융통성 [4점]

요소별 채점 기준	점수
구조를 바꾼 경우	2점
재료를 바꾼 경우	2점

[해설]

선팽창률은 온도가 1 ℃ 올라갈 때 처음 길이에서 늘어나는 비율을 의미한다. 철의 선팽창률은 0.000012이다. 30 cm 철선은 100 ℃ 온도가 올라가면 30 cm×0.0012=0.036 cm 늘어난다. 선팽창률이 크면 늘어났다 줄었다 하는 길이가 길어지므로 금속 피로가 빨리 생겨 수명이 짧아지고 쉽게 끊어진다. 전구의 필라멘트는 선팽창률이 작은 텅스텐(텅스텐의 선 팽창률 : 0.00000459)을 사용한다.

예시답안

18

• 많은 양의 강물이 서해로 들어가기므로 동해와 남해보다 서해의 염분이 더 낮다.
• 남쪽으로 갈수록 전 세계적으로 염분이 가장 높은 위도 30° 해역에 가까워지므로 염분이 높아진다.
• 여름철에는 겨울철보다 강수량이 많으므로 여름철보다 겨울철에 염분이 더 높다.

※ 유창성 [6점]

총체적 채점 기준	점수
세 가지 경우를 서술한 경우	6점
두 가지 경우를 서술한 경우	4점
한 가지 경우를 서술한 경우	2점

※ 독창성 및 융통성 [4점]

요소별 채점 기준	점수
동해와 서해의 염분을 비교하여 서술한 경우	2점
여름과 겨울의 염분을 비교하여 서술한 경우	2점

[해설]

해수에 녹아 있는 물질을 염류라 하고, 해수 1 kg 속에 녹아 있는 염류의 총량을 g 수로 나타낸 것을 염분이라 한다. 증발량이 강수량보다 많고, 강물이 유입되지 않고, 결빙이 생기는 곳은 염분이 높고, 반대로 강수량이 증발량보다 많고, 강물이 유입되고, 빙하가 녹는 곳은 염분이 낮다. 전 세계적으로 볼 때 적도는 증발량보다 강수량이 많아 염분이 낮고, 위도 30° 부근은 증발량이 강수량보다 많아 염분이 가장 높다.

예시답안

19

❶ 천장을 통해 열이 주택 내부로 전달되는 것을 막고, 풀과 흙이 머금고 있던 물이 천천히 증발하면서 지붕의 열을 흡수한다.

요소별 채점 기준	점수
천장을 통해 전달되는 열을 차단함을 서술한 경우	3점
증발열을 서술한 경우	3점

❷
• 3중 유리창 사이에 아르곤 가스를 채워 바깥쪽의 뜨거운 공기가 들어오는 것을 막고 내부의 시원한 공기가 빠져나가지 않도록 한다.
• 블라인드를 창 안쪽이 아닌 창밖에 설치하여 빛이 창에 도달하는 것을 막아 창을 통해 들어오는 복사열의 80 % 이상을 차단한다.
• 지하 2 m 깊이에 쿨튜브(cool tube)를 묻어 실내 공기를 순환시킨다. 여름철에 뜨거워진 실내 공기가 관을 따라 땅속을 지나면 열을 잃어 온도가 내려가고, 이 공기를 다시 실내로 끌어들이면 에어컨을 사용하지 않고도 시원한 온도를 유지할 수 있다.
• 남쪽에 창을 낸다. 여름에는 태양의 남중 고도가 높아서 창을 통해 들어오는 일조량이 적으므로 실내 온도가 높아지는 것을 최소화 할 수 있다. 겨울에는 태양의 남중 고도가 낮아 집안 깊숙이 햇볕이 들어오므로 난방비를 절약할 수 있다.

• 복사열을 가장 많이 받는 천장에 단열 성능을 극대화한 단열 강화제를 사용하여 실내로 열이 전달되는 것을 막는다.
• 특수 환기 장치(폐열회수환기 시스템)를 사용해 창문을 열지 않고도 탁한 공기를 내보내고 내부의 시원한 공기는 빠져나가지 않도록 한다.

총체적 채점 기준	점수
세 가지 방법을 서술한 경우	8점
두 가지 방법을 서술한 경우	5점
한 가지 방법을 서술한 경우	2점

[해설]

① 녹화 지붕을 경사로 만들면 평평하게 만들었을 때보다 반사열은 2배, 증발열은 10배 이상 많아져 실내 온도를 효과적으로 낮출 수 있다.

② 패시브하우스는 아무런 기계적 장치 없이 난방 에너지의 95 %를 감소시킨다. 여기에 태양전지, 태양열 집열판과 같은 신재생 에너지를 사용하면 제로에너지 하우스(zero energy house)도 가능해진다. 제로에너지 하우스는 패시브하우스보다 진보된 개념으로 석유, 가스 등의 화석 연료를 사용하지 않고 태양열 같은 대체 에너지로 이산화 탄소 발생을 0에 가깝도록 설계한 초단열 주택이다. 우리나라의 경우 난방 에너지가 전체 에너지의 약 65 %를 차지하므로 패시브하우스의 개념이 도입된다면 국가 차원의 에너지 절약이 가능해진다. 패시브하우스 건축비는 유럽에서는 일반 주택에 비해 5~8 % 더 들지만, 자재가 대부분 수입품인 데다 기밀성(공기가 통하지 못하는 상태)과 단열, 열 손실 차단 기술이 아직 대중화되지 못해 국내에서는 30 % 정도 더 든다.

폐열회수환기 시스템

외부차양, 블라인드

창호, 3중 유리창

벽체, 보온성능 극대화

예시답안

20

① 파이프의 한쪽 끝에 열을 가하면 휘발성 액체가 증발하여 기체로 변한다. 기체로 변한 휘발성 액체는 열에너지를 가지고 열이 가해진 반대편으로 이동한다. 파이프의 다른 끝으로 이동한 기체는 열을 방출하고 온도가 낮아지면 다시 액체로 변해 관을 지나 본래의 위치로 돌아온다. 액체와 기체가 이동하면서 열을 전달한다.

요소별 채점 기준	점수
액체의 증발을 서술한 경우	3점
기체의 액화를 서술한 경우	3점

②

- 노트북, 컴퓨터, 핸드폰 등 발열이 심한 CPU나 RAM 칩에 연결해 열을 외부로 내보내는 데 사용한다.
- 냉동 장치에서 열전달 장치로 사용한다.
- 보일러 파이프로 사용한다.
- 산업용 폐열을 회수하는 데 사용한다.
- 태양열 집열기에서 태양열을 이동시키는 데 사용한다.
- 인공위성이 태양을 향한 쪽은 아주 뜨겁고 반대쪽은 차가우므로 인공위성 본체 안에 히트파이프를 넣어 인공위성 내부의 온도를 균일하게 유지하는 데 사용한다.
- 고열에 약한 전자 부품의 열을 이동하는 데 사용한다.

총체적 채점 기준	점수
세 가지 특징을 서술한 경우	8점
두 가지 특징을 서술한 경우	5점
한 가지 특징을 서술한 경우	2점

[해설]

① 얼마 전까지는 거대한 단일의 알루미늄 방열판이 열을 빠르게 이동시키고 열을 분산시키는 일을 동시에 했다. 방열판(Heat sink)은 최소한의 공간에서 공기와 많이 만나게 하려고 전부 요철 모양의 구조이다. 구리가 알루미늄보다 우수한 열전도율을 가지고 있지만, 단가가 비싸고 무게가 무거워서 열원과 닿는 부분은 구리를 사용하고 그 외 부분은 알루미늄을 사용했다. 그러나 요즘은 열의 전달은 히트파이프가 하고 열의 분산은 방열판이 하도록 만든다. 히트파이프는 방열과 관계없이 열을 효과적으로 이동하기 위한 통로이다. 히트파이프의 열전도율은 구리보다 약 40배, 알루미늄 보다는 약 80배 높다. 히트파이프는 겉에서 보기엔 그냥 구리로 된 봉처럼 보이지만, 내부가 뚫려 있는 관이며 내부 공간에 휘발성 액체가 가득 들어 있다. 전달하고자 하는 열의 크기에 따라 내부 휘발성 물질을 다르게 한다.

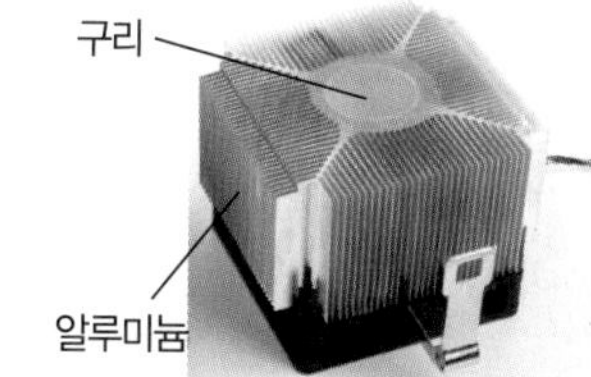

○ 방열판

② 열전달 능력이 뛰어난 히트파이프를 실생활에 활용한 예

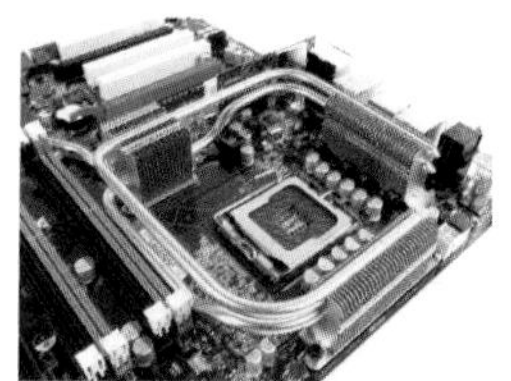
○ 히트파이프 방열장치

○ 히트파이프 열회수 시스템

○ 히트파이프 태양열 집열기

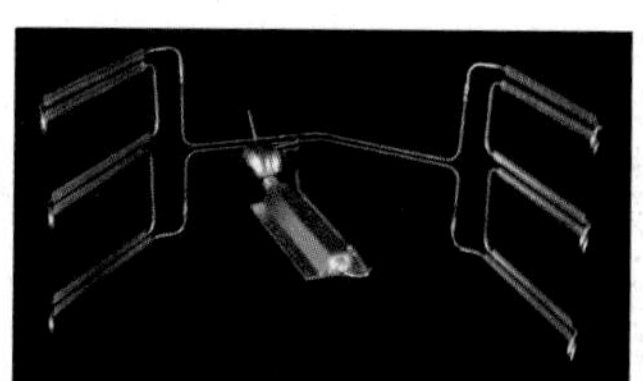
○ 히트파이프 인공위성 온도조절 장치

과학 3강

문항 구성 및 채점표

문항 \ 평가영역	과학 사고력		과학 창의성		과학 STEAM	
	개념 이해력	탐구 능력	유창성	독창성 및 융통성	문제 파악 능력	문제 해결 능력
21	점					
22		점				
23		점				
24	점					
25			점	점		
26			점	점		
27			점	점		
28			점	점		
29					점	점
30					점	점

평가영역별 점수	개념 이해력	탐구 능력	유창성	독창성 및 융통성	문제 파악 능력	문제 해결 능력
	과학 사고력		과학 창의성		과학 STEAM	
	/ 40점		/ 30점		/ 30점	
총점						

평가 결과에 따른 학습 방향

평가영역	점수	학습 방향
사고력	35점 이상	정확하게 답안을 작성하는 연습을 하세요.
	24~34점	교과 개념과 연관된 응용문제로 문제 적응력을 기르세요.
	23점 이하	틀린 문항과 관련된 교과 개념을 다시 공부하세요.
창의성	26점 이상	보다 독창성 및 융통성 있는 아이디어를 내는 연습을 하세요.
	18~25점	다양한 관점의 아이디어를 더 내는 연습을 하세요.
	17점 이하	적절한 아이디어를 더 내는 연습을 하세요.
STEAM	26점 이상	답안을 보다 구체적으로 작성하는 연습을 하세요.
	18~25점	문제 해결 방안의 아이디어를 다양하게 내는 연습을 하세요.
	17점 이하	실생활과 관련된 과학 기사로 과학적 사고를 확장하는 연습을 하세요.

정답 및 해설

모범답안

21

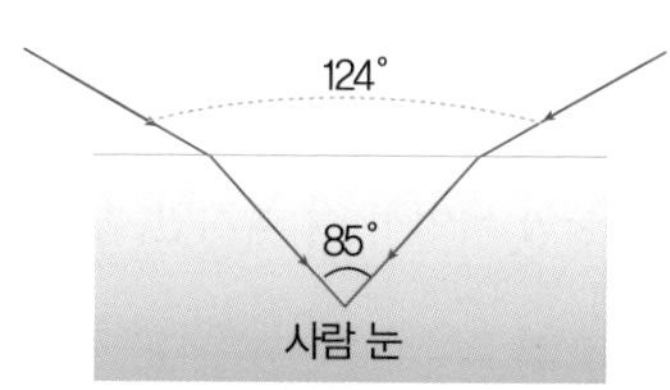

빛이 공기에서 물로 진행하면서 굴절되기 때문에 사람은 약 85°의 시각으로 물 밖의 더 큰 시야 각도(약 124° 정도)를 볼 수 있다.

요소별 채점 기준	점수
빛의 굴절을 바르게 그린 경우	4점
시각이 커진다고 서술한 경우	4점

[해설]

• 사람은 한쪽 눈으로 볼 때 방향에 따라 시야가 조금씩 다르다. 상방(위쪽) 50°, 내방(코방향) 60°, 하방(아래) 70°, 외방(귀방향) 100° 정도이다. 두 눈동자를 움직이면서 보면 180°를 모두 볼 수 있다.

• 공기에서 물로 빛이 진행할 때 빛의 속도가 달라져 빛의 굴절이 일어난다. 물의 굴절률은 1.3이므로, 스넬의 법칙에 의해 약 42.5°의 각도로 굴절된 빛의 입사각은 약 62°이다.

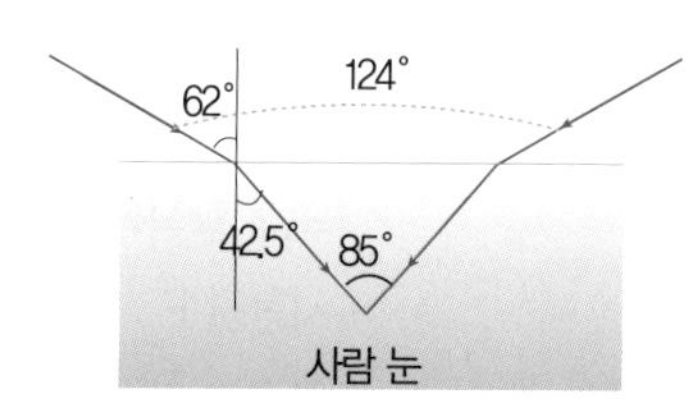

$\frac{\sin x}{\sin 42.5^\circ}=1.3$, $x≒62^\circ$ 따라서 물속에서 사람이 한쪽 눈으로만 물 밖을 봤을 때 $62^\circ \times 2 = 124^\circ$의 시야 각도를 가진다.

• 물의 임계각은 48.5°이므로 물에서 공기로 약 48°의 각도로 입사된 빛의 굴절각은 약 90°이다. 따라서 물고기는 물속에서 96°의 각으로 물 밖의 $90^\circ \times 2 = 180^\circ$를 모두 볼 수 있다.

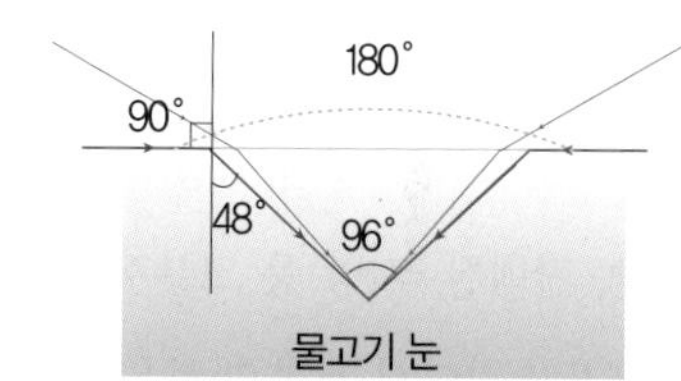

• 빛이 공기 중에서 수정체를 통과할 때의 굴절률은 물속에서 수정체를 통과할 때의 굴절률보다 크다. 물속에서 수경을 쓰지 않고 물체를 보면 상대 굴절률이 작아져 초점 길이가 길어지므로 원시안처럼 망막 뒤쪽에 물체의 상이 맺혀 물체를 선명하게 볼 수 없다. 수경을 쓰면 물과 눈 사이에 공기층이 생겨 빛이 공기층을 통과한 뒤 수정체를 통과하므로 상대 굴절률이 물 밖과 같아져 물체의 상이 정확하게 망막에 맺혀 선명하게 보인다.

모범답안

• Ag^+은 염화 이온(Cl^-)을 포함한 수용액을 가하여 흰색의 염화 은($AgCl$) 앙금을 만들어 분리한다.
• Ca^{2+}은 탄산 이온(CO_3^{2-})을 포함한 수용액을 가해서 흰색의 탄산 칼슘($CaCO_3$) 앙금을 만들어 분리한다.
• Pb^{2+}은 아이오딘화 이온(I^-)을 포함한 수용액을 가해서 노란색의 아이오딘화 납(PbI_2) 앙금을 만들어 분리한다.
• Na^+은 앙금을 형성하지 않으므로 수용액에 남아 는다.

요소별 채점 기준	점수
각 이온 혼합물을 분리하는 방법을 바르게 서술한 경우	각 2점

[해설]

화학적 성질이 비슷한 물질끼리는 잘 녹으므로 극성은 극성끼리 무극성은 무극성끼리 잘 녹는다. 즉, 용해는 용매와 용질의 분자 구조가 비슷할 때 잘 일어난다. 용해되기 전의 용질 분자들 사이의 인력보다 용해된 후 용질과 용매 분자 사이의 인력이 강한 경우에는 용해 반응이 자발적인 반응이 되어서 잘 녹지만, 반대의 경우는 용해가 잘 일어나지 않아 앙금이 생성된다.

모범답안

- 시험관 A : 녹말 용액이 그대로 남아 있으므로 청람색이다.
- 시험관 B : 침에 의해 녹말 용액이 엿당으로 분해되었으므로 청람색이 사라진다.
- 시험관 C : 끓인 침은 녹말을 분해하지 못하므로 녹말이 그대로 남아 청람색이다.
- 시험관 D : 녹말 용액이 그대로 남아 있어 베네딕트 반응을 하지 않으므로 색 변화가 없다.
- 시험관 E : 침에 의해 녹말 용액이 엿당으로 분해되므로 베네딕트 반응에 의해 황적색으로 바뀐다.
- 시험관 F : 끓인 침은 녹말을 분해하지 못하므로 녹말 용액이 그대로 남아 있어 베네딕트 반응을 하지 않으므로 색 변화가 없다.

요소별 채점 기준	점수
시험관 B, C, E, F의 변화를 바르게 서술한 경우	각 1.5점
시험관 A, D의 변화를 바르게 서술한 경우	각 1점

[해설]

음식물 속의 고분자 영양소는 세포막을 통과할 수 없으므로 체내로 흡수되기 위해서는 저분자 영양소로 분해되어야 한다. 녹말, 단백질, 지방 등 고분자 영양소를 저분자 영양소로 분해하는 것을 소화라고 한다. 부영양소인 비타민, 무기 염류, 물은 크기가 작아서 소화 과정을 거치지 않고 그대로 흡수된다. 침 속의 아밀레이스는 녹말을 엿당으로 분해하는 소화 효소이다. 소화 효소는 생체 촉매로 자신은 변하지 않으면서 반응 속도를 빠르게 해주는 물질이다. 주성분이 단백질이므로 40 ℃ 이상에서는 변성된다. 따라서 35~40 ℃일 때 활성이 최대이다.

모범답안

수증기가 지구 온난화의 기여도가 가장 크지만, 인간의 활동과 무관하게 지표면과 대기를 순환하므로 조절할 수 없다. 메테인이나 질소 산화물은 이산화 탄소보다 지구 온난화 지수가 커 더 강한 온실 효과를 나타내지만, 대기 중에 포함된 양이 많지 않다. 이산화 탄소는 최근 공기 중에 포함된 양이 매우 급격히 늘어나고 있으며 주로 인간의 활동에 의한 것이기 때문에 주목을 받고 있다.

요소별 채점 기준	점수
수증기의 양은 조절할 수 없음을 서술한 경우	3점
메테인과 질소 산화물은 대기 중 농도가 적음을 서술한 경우	2점
이산화 탄소는 인간의 활동에 의해 증가함을 서술한 경우	3점

[해설]

지구 대기에 가장 풍부한 온실 기체로는 수증기, 이산화 탄소, 메탄, 아산화 질소, 오존, 프레온 가스(CFCs), 수소불화 탄소(HFCs), 과불화 탄소(PFCs), 육불화 황(SF_6) 등이 있다. 과거에는 이산화 탄소가 대기 중으로 들어가는 과정은 화산 폭발 등 자연 현상이 원인인 경우가 대부분이었고, 식물의 광합성, 바닷물에 의한 용해 등에 의해 이산화 탄소의 생성과 제거가 평형을 이루고 있었다. 그러나 화석 연료 사용 등 인간의 활동이 지금까지의 평형을 깨뜨리고 대기 중의 이산화 탄소 농도를 빠르게 높임으로써 온실 효과가 급격히 강화되어, 지구와 생물계가 적응할 수 없을 정도로 빠른 기후 변화가 올 수 있다. 따라서 인간의 활동에 의해 대기 중으로 방출되는 이산화 탄소를 감축하기 위한 노력이 필요하다.

예시답안

25

- 흰 종이 판 앞에 스타이로폼 공을 놓고 빨강, 초록, 파랑 전등을 설치한다.
- 초록색, 흰색, 파란색 전등을 동시에 켜면 초록색, 청록색, 파란색 그림자가 만들어진다.
- 빨간색, 흰색, 파란색 전등을 동시에 켜면 빨간색, 자홍색, 파란색 그림자가 만들어진다.
- 초록색, 흰색, 빨간색 전등을 동시에 켜면 초록색, 노란색, 빨간색 그림자가 만들어진다.
- 빨간색, 파란색, 초록색 전등을 동시에 켜면 한번에 5가지 색의 그림자를 만들 수 있다.

※ 유창성 [6점]

총체적 채점 기준	점수
6가지 색깔 그림자를 만든 경우	6점
5~4가지 색깔 그림자를 만든 경우	4점
3~1가지 색깔 그림자를 만든 경우	2점

※ 독창성 및 융통성 [4점]

요소별 채점 기준	점수
색 전등 두 개를 이용한 경우	2점
색 전등 세 개를 이용한 경우	2점

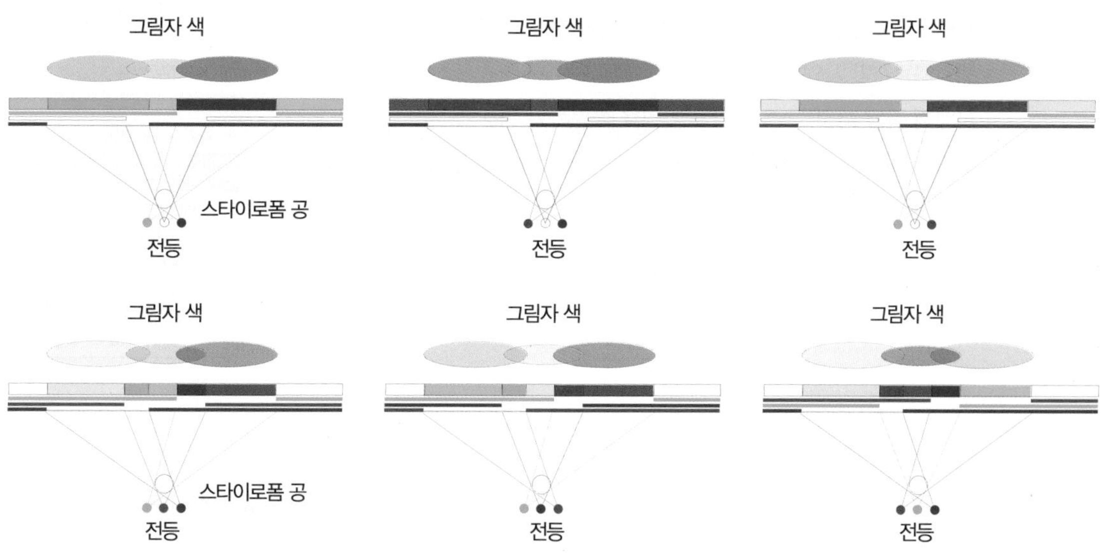

[해설]

• 자연에는 다양한 색의 빛이 있는데 빨강, 초록, 파랑 3가지 색의 빛을 합성하면 만들 수 있다. TV 모니터, 빔프로젝터와 같은 영상 장치는 3가지 색의 밝기를 조절하여 다양한 색을 만든다. 실제 빨간색 빛과 초록색 빛이 합성되면 노란색 빛이 되는 것이 아니라 우리 눈이 노란색으로 인지한다. 사람의 눈에는 빛의 색을 감지하는 3가지 원뿔 세포가 있고 3가지 원뿔 세포로 700만 개의 색을 구별하여 인식한다. 원뿔 세포는 특히 555 nm의 녹색 계열의 빛을 잘 감지한다.

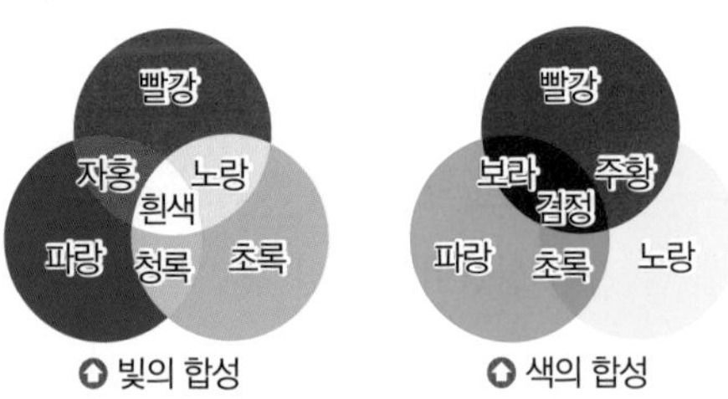

빛의 합성 / 색의 합성

• 전등과 공의 거리, 공의 크기를 다르게 하면 다양한 색의 그림자를 만들 수 있다.

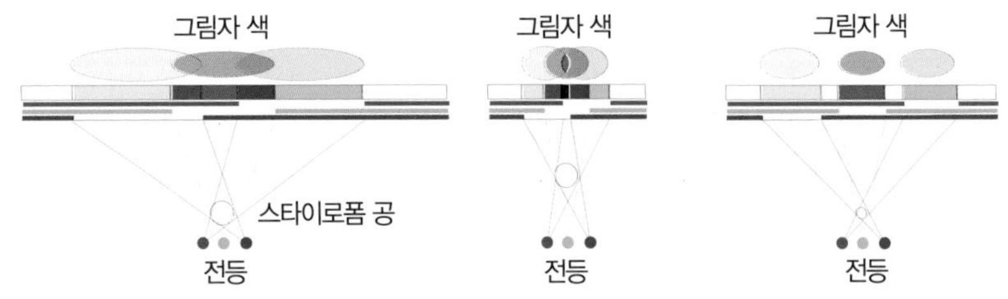

예시답안

26

• 대체 물질을 연구한다.
• 전자 제품을 재활용한다.
• 희토류 사용량을 줄일 수 있는 기술을 연구한다.
• 자원보유국과 협력을 통해 채굴권을 확보한다.
• 해외자원개발 사업을 통해 자원을 확보한다.
• 심해저 광물 자원, 우주의 광물 자원을 확보하기 위해 더욱더 연구한다.
• 미래를 대비하여 희소금속을 중심으로 광물을 비축해 둔다.

※ 유창성 [6점]

총체적 채점 기준	점수
세 가지 방법을 서술한 경우	6점
두 가지 방법을 서술한 경우	4점
한 가지 방법을 서술한 경우	2점

※ 독창성 및 융통성 [4점]

요소별 채점 기준	점수
대체 물질 사용이나 사용량을 줄일 수 있는 방법을 서술한 경우	2점
재활용이나 해외 자원 개발 사업을 서술한 경우	2점

[해설]

• 2010년 중국과 일본 사이의 영유권 분쟁에서 일본이 중국 선원을 감금시키자 중국은 일본에 대한 희토류 수출 금지라는 경제적 조치를 냈다. 그러자 일본은 체포했던 중국 선원을 곧장 석방했다.

• 희토류에 속해 있는 17개 원소(원자 번호 21번 스칸듐, 원자 번호 57~71번까지의 란타넘계 원소, 원자 번호 39번 이트륨의 17개의 원소)는 하이브리드 자동차, 풍력 발전 등 저탄소 녹색성장에 필수적인 영구자석 제작에 꼭 필요한 물질이고, 첨단 산업과 휴대폰이나 노트북, 카메라 등에 사용되며 현대 사회에서 매우 필수적인 요소이다. 하지만 희토류의 채굴

과정, 분리 과정, 정련(광석이나 기타의 원료에 들어 있는 금속을 뽑아내어 정제하는 일) 과정, 합금화 과정을 거치려면 고도의 기술력과 장기간 축적된 노하우가 필요할 뿐만 아니라 이 과정에서 엄청난 공해 물질이 발생해 최근 많은 국가에서는 환경 보호를 위해 자국 내 희토류 생산을 점차 중지하고 있다. 희토류는 북한 전 지역을 통틀어 2천만 톤이 존재하는데 이 양은 미국(1400만 톤)보다 많은 양이고 남한에도 약 10년간 쓸 수 있는 양이다.

• 일본의 혼다 자동차는 하이브리드 자동차 모터용 자석에 들어가는 희토류 원소의 사용량을 줄이기 위해 희토류 원소인 디스프로슘을 자석 표면에 얇게 입히는 기술을 개발하였고, 미국 국방부와 일본 도요타 자동차는 무인 항공기, 전기 자동차 모터 등을 만드는 데 쓰이는 희토류를 얻기 위해 북미지역 희토류 광산 개발에 앞장서고 있다.

예시답안

27

• 세포 호흡은 체온 정도의 낮은 온도에서 천천히 일어나지만, 연소는 고온에서 빠르게 일어난다.
• 세포 호흡은 효소의 도움을 받아 단계적으로 일어나지만, 연소는 한 번에 일어난다.
• 세포 호흡은 세포의 필요에 따라 반응이 조절되지만, 연소는 에너지가 한 번에 방출된다.
• 세포 호흡은 열에너지와 화학 에너지(ATP)로 에너지를 방출하고, 연소는 열에너지와 빛에너지로 방출한다.

※ 유창성 [6점]

총체적 채점 기준	점수
세 가지 차이점을 서술한 경우	6점
두 가지 차이점을 서술한 경우	4점
한 가지 차이점을 서술한 경우	2점

※ 독창성 및 융통성 [4점]

요소별 채점 기준	점수
온도를 서술한 경우	2점
효소의 도움을 서술한 경우	2점

[해설]

세포 호흡과 연소 모두 유기 영양소를 산소와 반응(산화)시켜 물, 이산화 탄소, 에너지를 발생시키는 반응이다. 세포 호흡은 세포 내 미토콘드리아를 중심으로 이루어진다. 세포 호흡을 통해 방출되는 에너지 일부는 ATP에 화학 에너지 형태로 저장되고 나머지는 열에너지로 방출된다. ATP는 생명 활동에 이용되는 에너지 저장 물질로, 생명 활동에 직접적인 에너지원으로 이용된다. ATP의 분해 과정에서 방출된 에너지는 기계 에너지, 화학 에너지, 열에너지 등으로 전환되어 근육 운동, 물질의 합성과 운반, 세포 골격 변형, 발전, 발광 등 여러 생명 활동에 쓰인다.

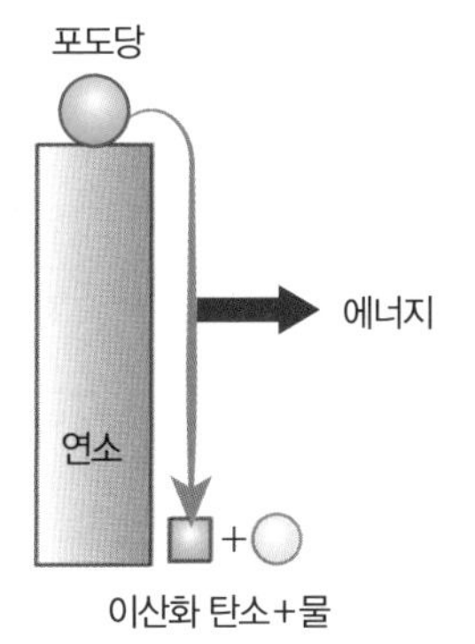

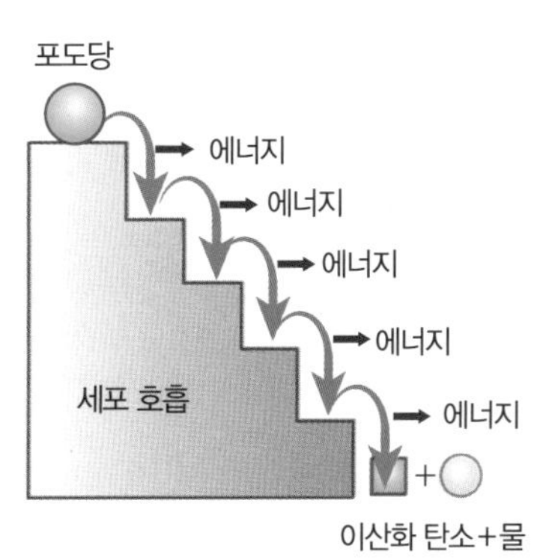

예시답안

28

• 압축 펌프로 공기를 더 많이 압축한다.
• 큰 페트병을 사용하여 수증기량을 늘인다.
• 향 연기와 같은 응결핵을 넣어 수증기 응결을 돕는다.
• 뜨거운 물로 페트병을 헹궈 수증기량을 늘인다.
• 압축 펌프 뚜껑을 순간적으로 열어 압력을 순간적으로 낮춘다.

※ 유창성 [6점]

총체적 채점 기준	점수
세 가지 방법을 서술한 경우	6점
두 가지 방법을 서술한 경우	4점
한 가지 방법을 서술한 경우	2점

※ 독창성 및 융통성 [4점]

요소별 채점 기준	점수
수증기량을 증가시킨 경우	2점
응결핵을 추가한 경우	2점

[해설]

• 지표면 근처에서 따뜻해져서 밀도가 작아진 공기가 상승하면, 높이 올라갈수록 기압이 낮아지므로 부피가 팽창하면서 온도가 낮아진다(단열 팽창). 공기 덩어리가 계속 상승하여 온도가 낮아져 이슬점에 도달하면(포화 상태에 이르면) 응결이 시작되고 응결된 작은 물방울이나 빙정이 모여 구름이 된다. 구름 알갱이들이 합쳐져 커지면 아래로 떨어지는데 이것이 비나 눈이다.
• 실험에서 구름을 많이 만들기 위해서는 페트병 안에 수증기량을 늘려 이슬점을 높여야 하고, 압력 차이를 크게 해서 단열 팽창으로 온도가 이슬점보다 더 낮아져서 응결되는 양이 많아지게 한다. 이때 응결핵이 있으면 응결이 더욱 잘 일어난다.

예시답안

29

❶ 홈마다 다른 굴절률을 가지고 있어 빛을 한곳으로 모아준다.

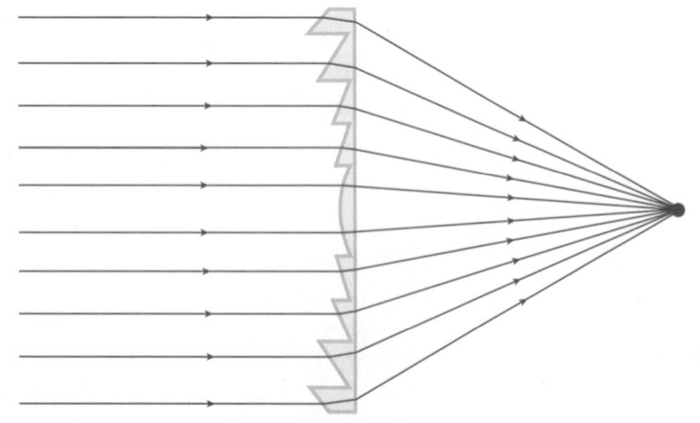

요소별 채점 기준	점수
빛의 경로를 바르게 그린 경우	3점
빛을 모을 수 있는 이유를 바르게 서술한 경우	3점

❷

- 얇고 가볍고 지갑에 넣고 다닐 수 있으므로 명함 돋보기로 만들어 들고 다닌다.
- 태양열을 모아 태양열 조리기를 만든다.
- 태양 광선을 작은 점에 집중되도록 하여 태양열 레이저 광선포를 만들어 금속을 녹여 자른다.
- 프레넬 렌즈를 입체적으로 조합하여 태양광 에너지를 효율적으로 흡수해 태양열 발전이나 온수를 공급하는 열병합 발전 시스템을 만든다.
- 태양전지 앞에 프레넬 렌즈를 붙여 직사광선을 모아 햇빛이 지닌 에너지를 증폭시켜 태양전지로 보낸다.
- 프로젝션 TV, 자동차 미등, OHP 등은 빛을 평행하게 내보내기 위해 사용한다.
- 휴대가 가능한 작고 가벼운 루페나 돋보기를 만든다.
- 투명도가 높고 표면 거칠기가 매우 낮으므로 우주선을 관측하는 망원 렌즈로 사용한다.

총체적 채점 기준	점수
다섯 가지 방법을 서술한 경우	8점
네 가지 방법을 서술한 경우	6점
세 가지 방법을 서술한 경우	4점
두 가지 방법을 서술한 경우	2점
한 가지 방법을 서술한 경우	1점

[해설]

❶ 프레넬 렌즈는 다음과 같이 일반 볼록 렌즈의 곡면을 잘게 나누어 여러 개를 동근 고리 모양으로 늘어놓은 것이다.

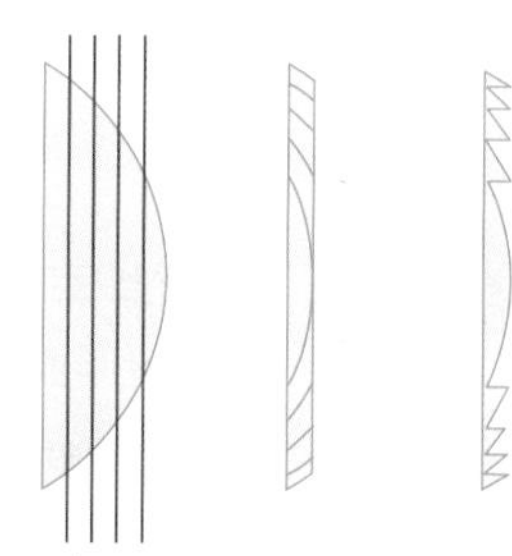

❷

- 프레넬 렌즈는 등대용으로 옛날부터 사용되었다. 플라스틱 재료를 사용하여 카메라의 파인더를 밝게 하는 초점 판에 이용하거나 오버헤드프로젝터(OHP) 등에 이용되며, 자동차 등의 미등에도 사용된다.
- 태양열 레이저 광선포 : 태양광선을 프레넬 렌즈를 이용하여 작은 점에 집중되도록 하면 850 ℃까지 올릴 수 있다. 450 ℃ 이상이면 아연 디스크 파일을 녹일 수 있고, 660 ℃가 되면 알루미늄을 녹일 수 있다.
- 프레넬 렌즈 태양전지 : 일반적인 실리콘 태양전지는 에너지 변환 효율이 20 %이다. 독일 프라운호퍼 태양에너지시스템 연구소는 44.7 % 효율의 태양전지 개발에 성공했다. 태양전지 맨 윗면에 프레넬 렌즈를 사용하여 직사광선을 모아 햇빛이 지닌 에너지를 297배 증폭시켜 태양전지로 보낸다.
- 최근에는 실리콘 웨이퍼를 이용해 만든 특수한 프레넬 렌즈도 있다. 이런 렌즈는 플라스틱 렌즈와는 달리 적외선을 투과시키는 성질이 있어서 적외선 센서용으로 사용되며, 적외선 센서 앞에서 적외선을 집중시켜 감도를 높일 수 있다. 주로 자동차나 귓속체온계 등에 사용된다.

⭘ 프레넬 렌즈 명함 돋보기

⭘ 프레넬 렌즈 태양열 조리기

⭘ 프레넬 렌즈 태양열 레이저 광선포

⭘ 프레넬 렌즈 집열판

⭘ 프레넬 렌즈 태양전지

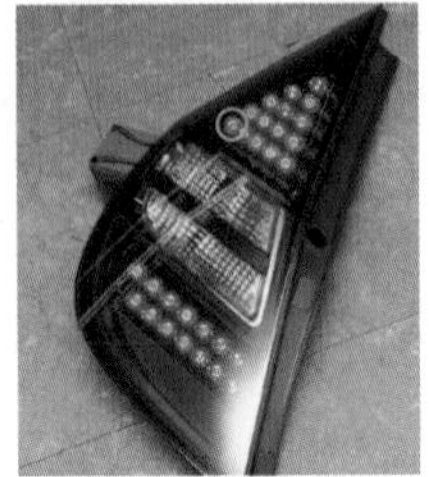
⭘ 프레넬 렌즈 미등

⭘ OHP의 프레넬 렌즈

예시답안

30

❶

- 확산으로 반투과성 막을 경계로 혈액 속의 노폐물은 투석액 쪽으로 이동하여 노폐물을 제거하고, 투석액 속의 중탄산염은 혈액 쪽으로 이동하여 산성화된 혈액을 중화시켜 준다.
- 투석액에 포도당을 첨가해 고농도로 만들어 삼투압 차이를 크게 하여 혈액의 과도한 수분을 빼내어 제거한다.

요소별 채점 기준	점수
확산을 통한 물질 교환을 서술한 경우	3점
삼투 현상에 의한 물의 이동을 서술한 경우	3점

- **불편한 점**
  - 바늘 삽입 등에 따른 감염의 위험이 있다.
  - 두통, 구역질, 피로감 등을 느낄 수 있다.
  - 혈액투석을 받는 동안 움직일 수 없다.
  - 짧은 시간 동안 혈액투석이 이루어지면 혈액의 변화와 노폐물 여과 속도가 빨라 몸이 변화에 적응할 여유가 없다.
- **개선 방법**
  - 휴대용 인공 투석기를 만들어 벨트처럼 허리에 차고 다닌다.
  - 걸어 다니며 복막투석을 할 수 있는 인공신장기를 만든다.
  - 손가방 크기로 인체 생체 리듬과 같은 박동식 인공신장기를 만든다.

총체적 채점 기준	점수
불편한 점을 두 가지 서술한 경우	4점
불편한 점을 한 가지 서술한 경우	2점
개선 방법을 서술한 경우	4점

[해설]

❶ 사람의 혈관으로부터 흘러나온 혈액이 투석기를 통과하는 동안 얇은 반투막을 사이에 두고 바깥쪽에는 투석액이 흐르고 있다. 혈액 속의 노폐물은 확산을 통해 반투막을 통과해 투석액 쪽으로 빠져나가고 정화된 혈액은 다시 혈관으로 흘러들어 간다. 이때 단백질, 적혈구, 백혈구 등의 큰 분자는 반투막을 통과하지 못하고 요소, 나트륨, 당 등의 작은 분자들만 혈액으로부터 빠져나간다. 신체에서 부족한 성분들(칼슘, 당분 등)을 투석액에 넣어 주면 투석액으로부터 혈액으로 보충된다. 인위적으로 투석액의 압력을 낮추면 혈액 속의 물이 투석액으로 이동하여 제거된다.

❷

- 복막투석은 환자 자신의 복막을 이용하여 혈액을 투석하는 방법으로, 환자의 복부에 관을 삽입하여 이 관을 통해 투석액을 주입하고 배액(액체를 빼냄)함으로써 체내 노폐물과 수분을 제거한다. 복막은 수백만 개의 작은 구멍을 가지고 있는 반투과성 막으로, 혈액 내 노폐물과 수분은 구멍을 통과하나 단백질이나 혈구는 통과되지 않는다. 투석액이 복강 내로 주입되면 확산과 삼투를 통해 혈액 내의 노폐물과 여분의 수분이 혈액에서 투석액 쪽으로 이동한다.
- 휴대용 복막투석기는 걸어 다니며 복막투석할 수 있는 휴대용 투석 장치로 옷 안에 착용하고 투석할 수 있다. 핸드폰에 연결하여 애플리케이션을 작동하면 혈류 속도와 노폐물 양 등을 확인할 수 있다.
- 미국 로스앤젤레스 엑스코퍼리얼(X corporeal)사가 개발한 인공 신장(휴대용 투석 장치)은 하루에 4~8시간 착용하며 혈액투석을 할 수 있어 고정 투석 장치보다 혈류 속도와 혈액에서 독성 물질을 청소하는 속도가 느리다. 이 때문에 보다 편안하게 투석이 진행될 수 있지만, 장시간 몸에 달고 다녀야 하는 불편함이 있다. 또한, 항응고제 투여량을 맞추지 않으면 혈전이 나타날 수 있고, 휴대용 투석 장치를 차고 움직이므로 혈관에 꽂은 바늘이 빠지는 경우가 발생할 수 있다. 그러나 임상시험에 참가한 환자들은 모두 긍정적인 평가를 했다.

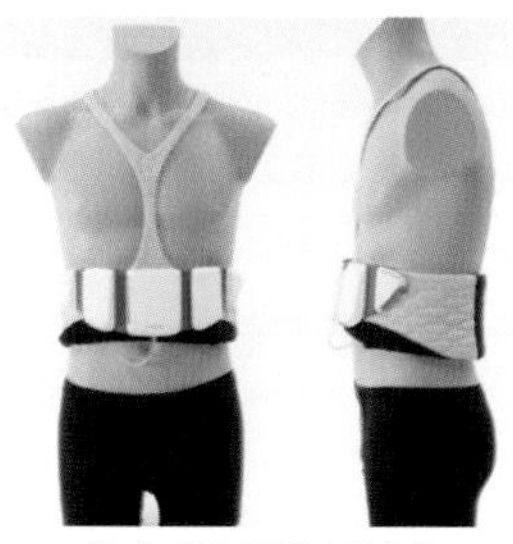
휴대용 인공 투석기

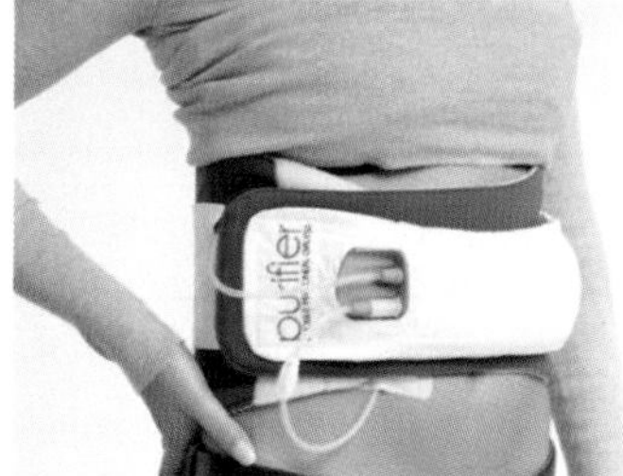
휴대용 복막투석기

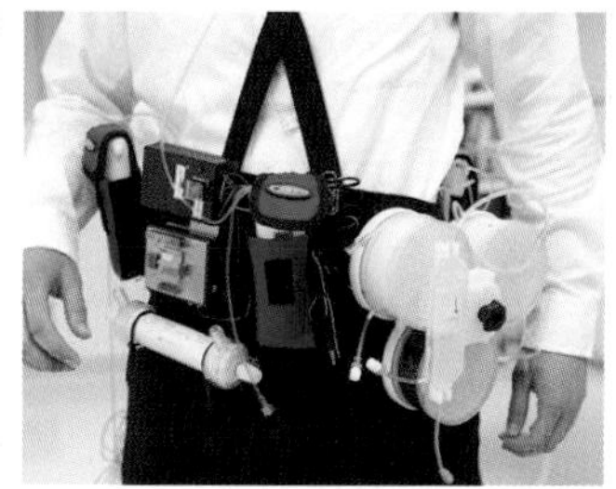
휴대용 인공 신장기

과학 4강

문항 구성 및 채점표

평가영역 / 문항	과학 사고력		과학 창의성		과학 STEAM	
	개념 이해력	탐구 능력	유창성	독창성 및 융통성	문제 파악 능력	문제 해결 능력
31		점				
32		점				
33	점					
34	점					
35			점	점		
36			점	점		
37			점	점		
38			점	점		
39					점	점
40					점	점

평가영역별 점수	개념 이해력	탐구 능력	유창성	독창성 및 융통성	문제 파악 능력	문제 해결 능력
	과학 사고력		과학 창의성		과학 STEAM	
	/ 40점		/ 30점		/ 30점	

총점	

평가 결과에 따른 학습 방향

영역	점수	학습 방향
사고력	35점 이상	정확하게 답안을 작성하는 연습을 하세요.
	24~34점	교과 개념과 연관된 응용문제로 문제 적응력을 기르세요.
	23점 이하	틀린 문항과 관련된 교과 개념을 다시 공부하세요.
창의성	26점 이상	보다 독창성 및 융통성 있는 아이디어를 내는 연습을 하세요.
	18~25점	다양한 관점의 아이디어를 더 내는 연습을 하세요.
	17점 이하	적절한 아이디어를 더 내는 연습을 하세요.
STEAM	26점 이상	답안을 보다 구체적으로 작성하는 연습을 하세요.
	18~25점	문제 해결 방안의 아이디어를 다양하게 내는 연습을 하세요.
	17점 이하	실생활과 관련된 과학 기사로 과학적 사고를 확장하는 연습을 하세요.

모범답안

31

- 재민이가 한 일 $= 9.8mh = (9.8\times50)\,\mathrm{N}\times0.2\,\mathrm{m}\times20 = 1960\,\mathrm{J}$
- 재민이의 일률 $= \dfrac{1960\,\mathrm{J}}{40\,\mathrm{s}} = 49\,\mathrm{W}$
- 경현이가 한 일 $= 9.8mh = (9.8\times50)\,\mathrm{N}\times0.2\,\mathrm{m}\times20 = 1960\,\mathrm{J}$
- 경현이의 일률 $= \dfrac{1960\,\mathrm{J}}{25\,\mathrm{s}} = 78.4\,\mathrm{W}$
- 계단을 올라간 높이가 같으므로 재민이와 경현이의 일의 양을 같고, 경현이가 시간이 짧게 걸렸으므로 경현이의 일률이 재민이의 일률보다 크다.

요소별 채점 기준	점수
일의 양을 바르게 구한 경우	3점
일률을 바르게 구한 경우	3점
일의 양과 일률을 바르게 비교한 경우	2점

[해설]

- 계단을 올라갈 때 사람이 중력에 대하여 일을 하므로, 힘의 크기는 사람의 S몸무게이고 이동 거리는 올라간 높이이다. 계단의 폭은 일의 양과 관련이 없다.
- 일률은 단위 시간 동안 한 일의 양으로 일의 능률을 의미한다. 같은 일을 할 때 걸린 시간이 짧을수록 일률이 크다.

모범답안

- 방법 : 에탄올을 눈금실린더에 담고 붉은색 유성 물감을 탄 식용유를 스포이트로 넣는다. 눈금실린더에 물을 조금씩 넣는다.
- 원리 : 처음에는 식용유와 에탄올이 섞이지 않고 식용유의 밀도가 에탄올의 밀도보다 크므로 식용유가 가라앉는다. 물을 넣으면 물과 에탄올과 섞이고 물과 에탄올 혼합물의 밀도가 점점 커지므로 식용유가 조금씩 떠오른다. 물과 에탄올 혼합물의 밀도가 식용유와 같게 되면 식용유가 액체 가운데 떠 있는다. 이때 표면장력에 의해 식용유는 둥근 모양을 이룬다.

요소별 채점 기준	점수
방법을 바르게 서술한 경우	4점
원리를 바르게 서술한 경우	4점

[해설]

물의 밀도는 $1\,\mathrm{g/cm^3}$, 식용유 밀도는 $0.93\,\mathrm{g/cm^3}$, 에탄올 밀도는 $0.789\,\mathrm{g/cm^3}$이다. 물과 에탄올 혼합물의 밀도는 혼합 비율에 따라 에탄올과 물 밀도 사이 값을 가진다. 붉은색 식용유는 중력과 부력이 같아진 곳에 위치하고, 표면장력에 의해 둥근 모양을 이룬다. 물을 많이 넣어 물과 에탄올 혼합물의 밀도가 식용유보다 더 커지면 식용유는 제일 위쪽에 위치하게 된다.

모범답안

33

체온이 정상 이상으로 올라가면 간뇌의 시상 하부에 있는 체온 조절 중추에 신호가 전달되어 피부에 있는 모세 혈관을 확장해 열 발생량을 늘리고, 땀샘을 자극하여 땀 분비를 증가시켜 기화열로 열을 내보내 정상 체온을 만든다.

요소별 채점 기준	점수
모세 혈관 확장을 서술한 경우	4점
땀의 기화열을 서술한 경우	4점

[해설]

• 체내 물질대사에 관여하는 효소의 활성은 온도에 따라 크게 변하므로 최적 온도 범위를 유지하는 것은 생명 활동 유지에 중요하다. 인체는 외부 기온과 관계없이 체온을 36.5 ℃ 정도로 유지하며, 정상 체온에서 벗어나면 체온 조절 기구가 작동한다.

• 추울 때는 간과 근육에서 열을 많이 발생시키고, 피부를 통해 발산되는 열을 줄인다. 더울 때는 열 발생량을 줄이고 피부를 통해 열 발산량을 늘린다. 세균이나 바이러스에 감염되면 세균의 증식을 막기 위해 생리 활성 물질인 프로스타글란딘이 생성되어 체온 조절 중추의 설정 온도를 높이기 때문에 체온이 상승한다.

• 체온이 정상 이하로 내려갈 때 우리 몸의 변화

① 간뇌의 시상 하부에 있는 체온 조절 중추에 신호가 전달되고 교감 신경을 통해 피부 모세 혈관과 입모근을 수축시킨다. → 피부 표면으로 가는 혈류량이 감소하여 열 발산량을 줄이고, 몸의 중심으로 흐르는 혈액량은 많아지므로 몸의 내부 기관을 적절한 온도로 유지할 수 있다.

② 시상 하부는 골격근을 수축시켜 몸 떨기와 같은 무의식적인 근육 운동을 일으킨다. → 많은 양의 열을 발생시켜 체온을 효과적으로 높일 수 있다.

③ 저온 자극에 의한 교감 신경의 활성화로 부신 속질에서 에피네프린의 분비가 촉진된다. → 간에서 글리코젠이 포도당으로 분해되어 혈당량이 증가하여 세포 호흡이 활발해지므로 열 발생량이 증가한다.

④ 시상 하부와 뇌하수체 전엽이 갑상샘의 작용을 촉진하여 티록신의 분비량이 증가한다. → 티록신은 물질대사를 촉진하므로 열 발생량이 증가한다.

모범답안

① 자극 → 감각 기관 → 감각 신경 → 척수 → 대뇌 → 척수 → 운동 신경 → 운동 기관 → 반응

② 자극 → 감각 기관 → 감각 신경 → 척수 → 대뇌 → 척수 → 운동 신경 → 운동 기관 → 반응

③ 자극 → 감각 기관 → 감각 신경 → 척수 → 운동 신경 → 운동 기관 → 반응

④

의식적인 반응	무의식적인 반응
①	②, ③

요소별 채점 기준	점수
경로를 바르게 적은 경우	각2점
반응 구분을 바르게 한 경우	2점

[해설]

의식적인 반응은 대뇌가 중추가 되어 자신의 의지와 판단(대뇌)에 따라 나타나는 반응이다. 무의식적인 반응(반사) 중 조건 반사는 대뇌가 중추가 되어 과거의 경험을 바탕으로 대뇌의 판단과 명령에 의한 반응이고, 무의식적인 반응(반사) 중 무조건 반사는 척수나 연수, 중간뇌가 중추가 되어 대뇌가 관여하기 전에 나타나는 선천적인 반응으로, 반응 속도가 빨라 위기 상황에서 몸을 보호할 수 있게 한다.

- 척수 반사 : 무릎 반사, 회피 반사(팔다리의 피부가 뜨거운 물체를 잡았을 때처럼 강한 자극을 받았을 때 나타나는 반사), 땀 분비 등
- 연수 반사 : 기침, 재채기, 하품, 침 분비, 눈물 분비 등
- 중간뇌 반사 : 동공 반사

예시답안

35

- 여러 명이 타서 무게를 무겁게 하여 가속도를 크게 한다.
- 눈썰매 바닥을 미끄럽게 하여 눈과 마찰을 작게 한다.
- 썰매의 모양을 유선형으로 하여 공기 저항을 최소화한다.
- 썰매를 넓게 만들어 힘을 분산시켜 눈 위를 잘 미끄러져 내려가도록 한다.
- 높은 곳에서 출발한다.
- 약간 뒤로 누워서 공기 저항을 줄이고 무게 중심을 낮춰 안정적인 자세로 탄다.

※ 유창성 [6점]

총체적 채점 기준	점수
다섯 가지 방법을 서술한 경우	6점
네 가지 방법을 서술한 경우	5점
세 가지 방법을 서술한 경우	4점
세 가지 방법을 서술한 경우	3점
한두 가지 방법을 서술한 경우	1점

※ 독창성 및 융통성 [4점]

요소별 채점 기준	점수
마찰력이나 공기 저항을 서술한 경우	2점
질량이나 출발 높이를 서술한 경우	2점

[해설]

썰매는 눈이나 얼음의 마찰계수가 작음을 이용하여 적은 힘으로도 빠른 속력을 낼 수 있다. 눈썰매는 위치 에너지를 운동 에너지로 바꾸는 것이므로 질량이 크고 높이가 높을수록, 마찰력이나 공기 저항이 작을수록 속력이 빠르다.

눈썰매의 속력은 빠를 경우 시속 35 km 정도로 소형 오토바이 속도와 비슷하며 순간 속도는 이보다 더 빠르다. 이런 속도에서 다른 눈썰매와 충돌하게 되면 허리 척추나 관절이 다칠 수 있다. 흔히 썰매를 탈 때 빠른 속도를 즐기기 위해 발을 썰매 안에 넣고 타거나 허리를 뒤로 젖혀 타는 자세를 취하는 경우가 있는데, 균형 감각이 낮아지고 속도제어가 힘들어 충돌 사고의 확률이 높아진다. 눈썰매를 탈 때 가장 올바른 자세는 뒤로 15° 정도만 허리를 젖히고 발바닥 뒤꿈치를 바닥에 대고 속도를 조절하면서 내려오는 것이 좋다.

예시답안

36

- 쇠 구슬의 질량을 4배 증가시킨다.
- 쇠 구슬을 4배 높은 곳에서 굴린다.
- 쇠 구슬의 질량을 2배로 하고 2배 높은 곳에서 굴린다.
- 수평면 재질을 바꿔 마찰력을 $\frac{1}{4}$로 줄인다.

※ 유창성 [6점]

총체적 채점 기준	점수
세 가지 방법을 서술한 경우	6점
두 가지 방법을 서술한 경우	4점
한 가지 방법을 서술한 경우	2점

※ 독창성 및 융통성 [4점]

요소별 채점 기준	점수
중력에 의한 위치 에너지의 양을 변화시킨 경우	2점
수평면의 마찰력을 변화시킨 경우	2점

[해설]

빗면에는 마찰이 없으므로 쇠 구슬이 가지는 중력에 의한 위치 에너지는 모두 자동차를 움직이는 데 사용된다. 중력에 의한 위치 에너지는 질량×높이에 비례하므로 자동차의 이동 거리를 4배 증가시키려면 질량을 4배, 높이를 4배, 질량과 높이를 각각 2배로 변화시킨다. 중력에 의한 위치 에너지가 같을 때 수평면의 마찰력을 $\frac{1}{4}$로 줄이면 이동 거리가 4배 증가한다.

예시답안

37

- 압력솥을 이용하면 물의 끓는점이 높아져 높은 온도에서 음식이 빨리 된다.
- 높은 산에서 밥을 할 때 압력이 낮기 때문에 압력을 높이기 위하여 솥뚜껑에 무거운 돌을 올려두고 음식을 한다.
- 바다 깊은 곳의 열수 분출공에서 뿜어져 나오는 뜨거운 물은 수압이 높아 100 ℃ 이상의 온도에서도 끓지 않고 액체 상태로 존재한다.
- 깊은 바닷속에서는 화산이 폭발하여도 수압이 높아 물의 끓는점이 높으므로 바닷물이 끓지 않는다.

※ 유창성 [6점]

총체적 채점 기준	점수
세 가지 방법을 서술한 경우	6점
두 가지 방법을 서술한 경우	4점
한 가지 방법을 서술한 경우	2점

※ 독창성 및 융통성 [4점]

요소별 채점 기준	점수
압력솥이나 높은 산에서 밥을 할 때 돌을 올리는 경우를 서술한 경우	2점
깊은 바다의 화산 폭발이나 열수 분출공을 서술한 경우	2점

[해설]

물질의 끓는점은 압력이 높으면 높아지고 압력이 낮으면 낮아진다. 압력이 높은 지하 깊은 곳에서는 물의 끓는점이 높아 바닷물이 화산 열로 가열되어 100 ℃가 넘어도 끓지 않고 액체 상태의 물로 존재한다. 수심 3000~6000 m의 심해저에 있는 열수 분출공에서는 300 기압이 넘는 높은 수압에 의해 450 ℃의 뜨거운 물이 뿜어져 나온다.

예시답안

38

- 깔때기와 같은 집음기를 귀에 연결해 주위 소리를 모아서 듣는다.
- 보청기와 같이 소리의 진동을 증폭시켜주는 장치를 귓속에 넣고 소리를 듣는다.
- 막대기와 같이 딱딱한 물체 한쪽을 소리가 나는 곳과 연결하고 반대쪽 끝을 치아로 물고 있으면 진동이 턱뼈와 두개골을 따라 귓속의 달팽이관으로 전달되기 때문에 소리를 들을 수 있다.

※ 유창성 [6점]

총체적 채점 기준	점수
두 가지 방법을 서술한 경우	6점
한 가지 방법을 서술한 경우	3점

※ 독창성 및 융통성 [4점]

요소별 채점 기준	점수
소리의 진동을 증폭시킨 경우	2점
골진동을 서술한 경우	2점

[해설]

- 소리는 공기의 진동으로 발생하고, 진동이 귀의 고막과 귓속뼈를 통해 달팽이관으로 전달되면, 달팽이관이 소리의 진동을 전기 신호로 바꿔 청신경을 통해 대뇌로 전달하여 소리를 듣게 된다. 이때 고막으로 전달되는 공기 진동 외에 성대의 진동이 주변 조직과 뼈를 통해 달팽이 관으로 전달된다. 내가 듣는 내 목소리는 공기를 통해 전달되는 소리와 뼈를 통해 몸속으로 전달되는 소리가 합쳐진 것이다. 녹음한 목소리를 들으면 제 목소리가 아닌 낯선 목소리로 들리는데, 이는 목소리를 녹음하면 입으로 나오는 소리만 녹음되고 뼈를 통해 전달되는 소리는 녹음되지 않기 때문이다.
- 고막이 손상되면 청력 손실이 발생하여 잘 들리지 않는다. 이때는 보청기를 사용하여 진동을 증폭시키거나 골진동을 이용하면 소리를 들을 수 있다. 골진동은 고막이 손상되어도 뼈의 진동이 달팽이관으로 전달되므로 소리를 들을 수 있다. 그러나 달팽이관이 손상되면 청신경의 신호를 전달하지 못하므로 소리를 들을 수 없다. 이때는 인공 달팽이관 이식수술을 통해 청력을 회복하기도 한다.

예시답안

39

❶ 염화 칼슘을 뿌리면 조해성에 의한 용해 과정으로 일부의 눈이 녹아 염화 칼슘 수용액이 되고, 염화 칼슘 수용액에 의해 눈의 어는점이 0 ℃ 이하로 낮아지므로 눈이 녹는다.

요소별 채점 기준	점수
조해성에 의한 염화 칼슘의 용해를 서술한 경우	3점
염화 칼슘 수용액에 의해 어는점 내림을 서술한 경우	3점

❷

- 부식성이 약한 염화 마그네슘 제설제를 사용한다.
- 염소 이온 대신 독성이 약한 유기산을 칼슘과 마그네슘 이온과 합성한 친환경 제설제를 사용한다.
- 제설 송풍기를 사용하여 눈을 치운다.
- 제설기를 이용하여 바닥의 눈을 모아 옆으로 분사시켜 치운다.
- 도로에 태양광 발전을 활용한 열선을 깔아 눈이 쌓이지 않도록 한다.
- 제설기로 눈을 모아서 외진 곳에 쌓아 두고 눈이 자연스럽게 녹게 한다.
- 음식물 쓰레기를 이용한 친환경 제설제를 사용한다.

총체적 채점 기준	점수
세 가지 방법을 서술한 경우	8점
두 가지 방법을 서술한 경우	5점
한 가지 방법을 서술한 경우	2점

[해설]

❶

- 염화 칼슘은 공기 중의 수분을 흡수하여 스스로 녹는 조해성이 있다. 염화 칼슘을 눈에 뿌리면 조해성에 의한 용해 과정으로 열을 내보내고 이 용해열에 의해 주위의 눈이 녹아 염화 칼슘 수용액이 된다. 염화 칼슘 수용액이 되면 어는점 내림 현상이 발생한다. 20 % 염화칼슘 수용액은 −20 ℃, 30 % 염화 칼슘 수용액은 −54 ℃까지 얼지 않는다.
- 부동액을 냉각수에 넣어 주면 냉각수의 어는점이 낮아져 냉각수가 얼지 않는다. 이처럼 비휘발성 용질을 녹이면 순수한 용매의 어는점보다 낮아진다. 이를 어는점 내림이라고 한다.

❷

- 염화 칼슘은 금속을 빨리 부식시키므로 겨울철 차량운행 시 차체에 묻은 염화 칼슘 때문에 차체에 녹이 슬고, 부식되어 차량 운행의 위험을 높인다. 또한, 공업용 염화 칼슘에 포함된 불순물[납(Pb), 비소(As), 카드뮴(Cd), 수은(Hg), 크롬(Cr), 구리(Cu), 니켈(Ni), 아연(Zn)등 중금속]이 환경을 오염시킨다. 또한, 염화 칼슘은 아스팔트를 파손시키고 비에 녹아 땅속으로 흡수되면 수분을 흡수하므로 식물 피해도 무시할 수 없다. 이러한 염화 칼슘의 단점 때문에 겨울철 제설에 염화 칼슘보다 친환경 제설제를 사용하자는 움직임이 있으나 다른 제설제에 비해 염화 칼슘이 저렴하므로 아직 많이 사용되고 있다.
- 일본의 홋카이도 지방과 같이 눈이 많이 오는 곳에서는 도로에 열선이 깔려 있어 눈이 쌓이지 않는다. 열선에 필요한 전기는 태양광 발전을 이용하므로 전기료도 걱정 없고 제설작업 자체가 필요 없으므로 친환경적인 방법이라고 할 수 있다. 울산 거마로 일대에도 열선이 깔려 있어 눈이 와도 눈이 저절로 녹는다.
- 캐나다에서는 눈을 녹이는 방법 대신 제설차로 눈을 모은 뒤 외진 곳에 쌓아 놓는다. 시민들에게 불편을 주지 않는 곳으로 눈을 모아 놓고 자연스럽게 녹게 한다.

▲ 제설기

▲ 제설 송풍기

▲ 홋가이도 열선 도로

예시답안

40

①

- 화물차는 질량이 커서 급제동 시 승용차보다 정지거리가 길기 때문이다
- 화물차는 질량이 커서 관성이 크고 무게 중심이 높아서 곡선 도로에서 방향을 빨리 바꾸기 힘들고 실려 있는 화물이 쏟아질 위험이 있기 때문이다.
- 화물차는 질량이 커서 관성이 크므로 급정거 시 운동 관성에 의해 운전자가 충격을 많이 받고 실려 있는 화물이 앞으로 쏠릴 위험이 있기 때문이다.

요소별 채점 기준	점수
제동거리를 서술한 경우	4점
관성을 서술한 경우	2점

②

- 탑재 적재함의 높이와 길이 등의 규정을 강화한다.
- 일정 속도 이상으로 달리지 못하도록 속도제한장치를 장착한다.
- 화물차의 제동 성능을 향상한다.
- 화물차의 과속, 과적 처벌을 강화한다.
- 고속도로를 이용하기 전 출발지와 목적지를 입력하고 도착 시각을 정해 준다. 목적지 요금소에 도착 시각보다 일찍 도착한 경우 처벌한다.

총체적 채점 기준	점수
세 가지 방법을 서술한 경우	8점
두 가지 방법을 서술한 경우	5점
한 가지 방법을 서술한 경우	2점

[해설]

① 정지거리는 공주거리와 제동거리의 합이다. 공주거리는 위험 상황 발생 후 운전자가 브레이크를 밟을 때까지 이동하는 거리이고, 제동거리는 운전자가 브레이크를 밟은 후 차가 완전히 정지할 때까지 이동한 거리이다. 안전거리는 주행 속도는 물론이고 도로 상황, 기상 상태 등 외부 요인에 따라 달라진다. 어떤 상황에서도 정지거리가 앞차와 간격보다 길어야 급제동 시 사고를 피할 수 있다. 도로교통공단은 애매한 안전거리를 쉽게 계산하기 위해 일반 도로에서는 '속도계 수치 − 15'만큼, 고속도로에서는 '속도계 수치' 만큼 안전거리를 확보하라고 권한다. 즉, 일반도로에서 시속 50 km로 주행하고 있다면 앞차와의 간격을 35 m 정도 유지하는 것이 안전하며, 고속도로에서 시속 100 km로 주행하고 있다면 안전거리를 100 m 정도 확보하고 진행하는 것이 안전하다.

② 현재 국내에서 11인승 승합차는 110 km/h, 5t 이상 상용차(사업에 사용되는 자동차)는 90 km/h의 최고속도제한장치를 부착하도록 규제하고 있다. 호주에서는 대형 트럭의 과속, 과로 운전을 막기 위해 고속도로에 진입허가를 받는다. 화물차는 고속도로를 이용하기 전에 미리 교통 도로 부서에 출발지와 목적지를 입력한 뒤 휴식 시간과 운행 시간을 지정받아야 한다. 화물차 운전자가 휴게소에서 쉬지 않거나 정해진 시각보다 일찍 목적지 요금소에 도착한 경우 과속, 과로 운전을 했다고 여겨 처벌받는다.

과학 5강

문항 구성 및 채점표

평가영역 \ 문항	과학 사고력		과학 창의성		과학 STEAM	
	개념 이해력	탐구 능력	유창성	독창성 및 융통성	문제 파악 능력	문제 해결 능력
41	점					
42		점				
43	점					
44	점					
45			점	점		
46			점	점		
47			점	점		
48			점	점		
49					점	점
50					점	점

평가영역별 점수	개념 이해력	탐구 능력	유창성	독창성 및 융통성	문제 파악 능력	문제 해결 능력
	과학 사고력		과학 창의성		과학 STEAM	
	/ 40점		/ 30점		/ 30점	

총점	

평가 결과에 따른 학습 방향

사고력	35점 이상	정확하게 답안을 작성하는 연습을 하세요.
	24~34점	교과 개념과 연관된 응용문제로 문제 적응력을 기르세요.
	23점 이하	틀린 문항과 관련된 교과 개념을 다시 공부하세요.
창의성	26점 이상	보다 독창성 및 융통성 있는 아이디어를 내는 연습을 하세요.
	18~25점	다양한 관점의 아이디어를 더 내는 연습을 하세요.
	17점 이하	적절한 아이디어를 더 내는 연습을 하세요.
STEAM	26점 이상	답안을 보다 구체적으로 작성하는 연습을 하세요.
	18~25점	문제 해결 방안의 아이디어를 다양하게 내는 연습을 하세요.
	17점 이하	실생활과 관련된 과학 기사로 과학적 사고를 확장하는 연습을 하세요.

모범답안

41

- **마이산이 된 이유 :** 홍수로 인해 유입된 자갈과 모래가 퇴적돼 역암층이 형성되고 지각 운동에 의해 융기되어 마이산이 되었다.
- **타포니 지형이 생성된 이유 :** 지표면에 노출된 역암층은 큰 일교차로 인해 급격한 수축과 팽창을 반복하면서 균열이 생기고 자갈이 빠져나가 작은 동굴(타포니 지형)이 생겼다.

요소별 채점 기준	점수
홍수와 융기를 서술한 경우	4점
풍화 작용을 서술한 경우	4점

[해설]

마이산의 나이는 약 1억 년에서 9천만 년 전으로, 중생대 백악기 당시 이곳은 공룡들이 목을 축이던 호수였다. 이 지역에 홍수 때 유입된 자갈과 모래가 퇴적돼 약 2천 m 두께의 역암층으로 변했다. 이 역암은 7천만 년 전쯤에 지각 변동으로 지표면 위로 솟아올라 노출됐다. 땅속에 잠긴 부분까지 합하면 1500 m에 이를 정도로 거대하다. 타포니(tafoni)로 불리는 동굴들은 역암이 풍화하는 과정에서 생긴 흔적들이다.

모범답안

42

- **조건 A :** 식물과 생쥐 모두 살아 있다. 생쥐가 내쉰 이산화 탄소를 이용하여 식물이 광합성을 하고, 광합성으로 생성된 산소를 이용하여 생쥐가 호흡하기 때문이다.
- **조건 B :** 식물과 생쥐 모두 죽는다. 쇠종 안으로 햇빛이 들어오지 못하므로 식물과 생쥐 모두 호흡만 하기 때문에 산소 부족으로 죽는다.
- **조건 C :** 식물과 생쥐 모두 죽는다. 햇빛이 비치더라도 식물의 잎이 없어 광합성 작용을 하지 못하고 호흡만 하기 때문에 산소 부족으로 죽는다.

요소별 채점 기준	점수
세 가지 조건의 변화와 이유를 바르게 서술한 경우	8점
두 가지 조건의 변화와 이유를 바르게 서술한 경우	5점
한 가지 조건의 변화와 이유를 바르게 서술한 경우	2점

[해설]

프리스틀리(1733~1804)는 타고 있는 촛불을 유리종 속에 넣으면 잠시 후에 꺼지지만, 여기에 녹색 식물을 함께 넣으면 오랫동안 촛불이 꺼지지 않는 것을 보고 촛불의 연소로 탁해진 공기가 녹색식물에 의해 정화된다는 것을 알아냈다. 또, 녹색식물과 동물을 각각 밀폐된 유리종 속에 넣어 두면 모두 죽지만 함께 넣어 두면 오랫동안 살 수 있다는 것을 알아냈다. 이를 통해 프리스틀리는 생쥐가 숨을 쉬면서 더럽힌 공기를 식물이 정화해 준다고 생각했다. 잉겐하우스(1730-1799)는 프리스틀리와 같은 실험 장치를 만들어 실험을 반복한 결과, 밀폐된 유리종 속에 식물만 두었을 때와 밀폐된 유리종 속에 동물만 두었을 때는 프리스틀리의 실험 결과와 같이 식물이과 동물이 모두 죽었다. 그러나 프리스틀리의 실험 결과에 의하면 밀폐된 유리종 속에 식물과 동물을 함께 두었을 때는 동물과 식물이 모두 살아야 하는데 무엇 때문인지 식물과 동물이 모두 죽었다. 잉겐하우스는 그 이유를 찾아내기 위해서 다양한 조건에서 프리스틀리의 실험을 반복하였다. 실험 결과, 광합성에는 이산화 탄소와 빛이 필요하고 산소가 생성되며, 광합성이 일어나는 장소는 잎이라는 것을 알았다.

모범답안

43

텀블러에 단열재를 두르고 그사이에 녹는점이 60 ℃인 화학 물질을 첨가한다. 고체 상태였던 화학 물질이 뜨거운 커피와 닿으면 열을 흡수해 액체 상태가 되고, 커피가 식어 온도가 낮아지면 액체 상태의 물질이 고체 상태로 바뀌면서 응고열을 방출해 온도를 일정하게 유지한다.

요소별 채점 기준	점수
단열를 서술한 경우	2점
화학 물질의 응고열을 서술한 경우	6점

[해설]

템퍼펙트를 개발한 미국 출신의 공업 디자이너 딘 버호벤(Dean Verhoeven)은 자신이 끓인 커피가 처음엔 너무 뜨거워 입을 데기도 하고 잠시 놔두면 금방 식어버려 커피 맛이 떨어지는 게 불만이어서 이 머그컵을 고안하게 됐다고 밝혔다. 템퍼펙트는 3개의 벽을 가지는 단열 텀블러이다. 외부 벽과 중간 벽 사이에는 보온병처럼 진공이고, 중간 벽과 내부 벽 사이에는 재료-X(material-X)라는 무독성 화학 물질을 넣는다. 이 재료-X는 녹는점이 60 ℃이므로 실온에서는 고체이다. 템퍼펙트 안에 뜨거운 커피를 넣으면 스테인리스로 된 머그잔 내부 벽을 통해 열이 전달되고 재료-X가 열을 흡수해 액체 상태가 된다. 커피가 식으면 재료-X가 고체 상태로 변하면서 응고열을 커피에 전달하여 커피를 뜨겁게 유지한다.

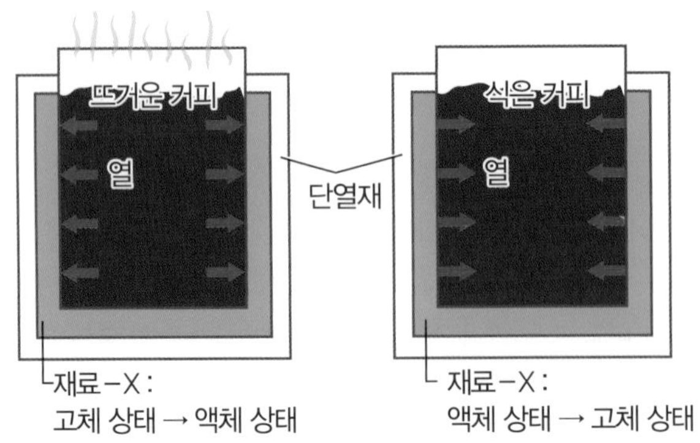

모범답안

44

두 힘이 합성될 때 두 힘이 이루는 각이 작을수록 합력의 크기가 커지므로 카드 사이의 각도를 작게 하여 쌓은 경우 더 많은 무게를 버틸 수 있다.

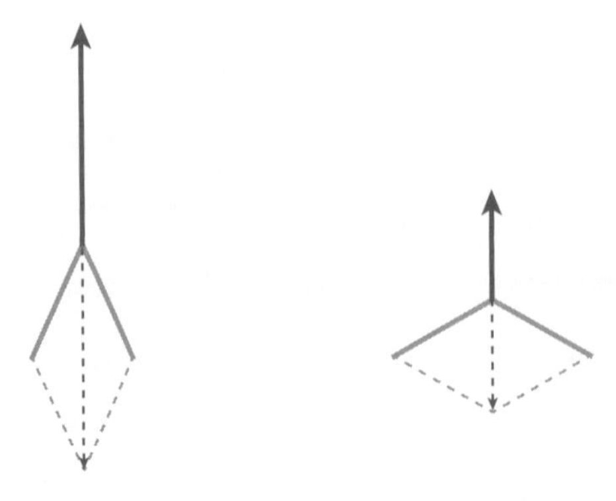

요소별 채점 기준	점수
더 많은 무게를 버티는 구조를 찾은 경우	2점
이유를 바르게 서술한 경우	6점

[해설]

• 한 물체에 방향이 다른 두 힘이 작용하면 물체는 두 힘의 세기와 두 힘이 이루는 각도에 따라 다른 힘을 받는다. 이때 합력은 두 힘을 나타내는 화살표를 두 변으로 하는 평행사변형의 대각선으로 구할 수 있다. 대각선의 길이는 합력의 크기를 나타내며, 대각선의 방향은 합력의 방향이다.

• 사각형과 원의 경우 힘이 가해지면 반대편의 한 점으로 힘이 집중된다. 반면 삼각형과 반원의 경우는 힘이 가해졌을 때 분산된 힘이 반대편 변으로 고르게 전달되기 때문에 집중되는 압력을 잘 견딜 수 있다. 삼각형 구조로 이루어진 트러스교와 반원 구조인 아치교는 다리가 받는 힘이 한곳에 집중되지 않고 분산되므로 안전하다.

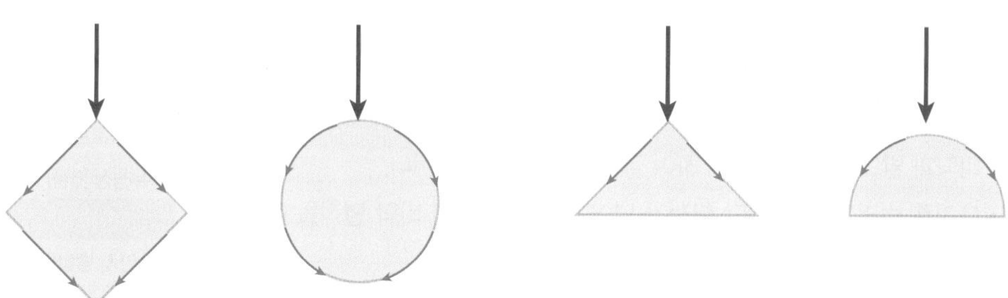

예시답안

45

• 끓이면서 끓는점을 측정한다. 끓는점이 일정하면 순물질인 물이고, 끓는점이 계속 올라가면 혼합물인 소금물이다.

• 소금을 넣은 얼음물에 넣어서 냉각시키면서 어는점을 측정한다. 어는점이 일정하면 순물질인 물이고, 어는점이 계속 내려가면 혼합물인 소금물이다.

• 전류가 흐르는 정도를 측정한다. 소금물은 전해질인 이온이 많아서 물보다 전류가 잘 흐른다.

• 액체에 물체를 띄운다. 소금물은 물보다 밀도가 높아서 물체가 더 잘 뜬다.

• 밀도를 측정한다. 소금이 녹은 소금물은 물보다 밀도가 크다.

• 액체를 증발시키거나 온도를 낮춰 석출되는 물질이 있는지 확인한다. 액체를 증발시키거나 온도를 낮추면 소금물이 포화 상태를 거쳐 소금이 석출된다.

• 각 액체에 소금을 더 녹인다. 소금물은 소금이 녹아 있으므로 물보다 녹을 수 있는 소금의 양이 적다.

• 질산 은($AgNO_3$) 수용액을 떨어뜨린다. 소금물의 염화 이온(Cl^-)은 은 이온(Ag^+)과 반응하여 흰색의 염화 은($AgCl$) 앙금을 형성한다.

※ 유창성 [6점]

총체적 채점 기준	점수
다섯 가지 방법을 서술한 경우	6점
네 가지 방법을 서술한 경우	4점
세 가지 방법을 서술한 경우	3점
두 가지 방법을 서술한 경우	2점
한 가지 방법을 서술한 경우	1점

※ 독창성 및 융통성 [4점]

요소별 채점 기준	점수
끓는점과 어는점을 서술한 경우	2점
앙금 생성 반응을 서술한 경우	2점

[해설]

혼합물인 소금물은 순수한 액체인 물보다 끓는점이 높고 어는점이 낮다. 소금이 물의 기화와 응고를 방해하기 때문이다. 끓는점 오름과 어는점 내림은 용질의 종류와 관계없고 용매의 종류와 용질이 얼마나 녹아 있느냐에 따라 달라진다. 만약 물 100 g에 소금 20 g을 녹이면 끓는점은 약 103.5 ℃가 되고, 어는점은 −12.7 ℃가 된다.

예시답안

46

- 3종 지레인 팔을 구부렸다가 펴면 작용점의 길이가 길어지므로 빠른 속도로 강한 힘을 내는 데 유리하다.
- 몸의 자세를 낮춰 무게 중심을 아래에 두면 잘 넘어지지 않는다.
- 바닥과 발의 마찰력을 크게 하여 잘 미끄러지지 않게 한다.
- 다리를 벌리고 서면 바닥 면적이 넓어져 무게 중심이 바닥 면적을 잘 벗어나지 않기 때문에 잘 넘어지지 않는다.
- 몸무게가 무거운 경우 공격할 때 상대방의 손바닥을 세게 밀면 몸무게가 가벼운 사람은 정지 관성이 작아 운동 상태 변화가 빨리 변하므로 먼저 넘어질 수 있다.
- 몸무게가 가벼운 경우 상대방이 공격할 때 손을 살짝 뒤로 빼서 부딪치는 것을 피하면 몸무게가 무거운 사람은 운동 관성 때문에 먼저 넘어질 수 있다.

※ 유창성 [6점]

총체적 채점 기준	점수
세 가지 방법을 서술한 경우	6점
두 가지 방법을 서술한 경우	4점
한 가지 방법을 서술한 경우	2점

※ 독창성 및 융통성 [4점]

요소별 채점 기준	점수
마찰력을 서술한 경우	2점
관성을 서술한 경우	2점

[해설]

손바닥 밀기 게임을 할 때 게임에 유리한 쪽은 키가 크고, 몸무게가 무겁고, 상대방의 손바닥을 미는 힘이 세고, 손바닥을 미는 속도가 빠른 쪽이다. 어느 쪽에서 먼저 밀었는지와 관계없이 서로의 손바닥이 부딪쳤을 때 두 사람의 손바닥에는 항상 같은 크기의 힘이 반대로 작용한다(작용 • 반작용 법칙). 방어할 때는 몸무게가 무거운 경우 정지 관성이 크므로 운동 상태의 변화가 상대적으로 작아서 잘 움직이지 않아 유리하다. 그러나 공격할 때는 몸무게가 무거운 사람이 상대방을 밀려고 자신의 손바닥을 힘껏 앞으로 밀칠 때 상대방이 손을 살짝 뒤로 움직여 부딪치는 것을 피하면 몸무게가 무거운 사람은 운동 관성이 커서 몸이 계속 앞으로 쏠려 넘어지기 쉽다.

모범답안

47

- 동맥이 좁아지면 뇌동맥이나 심장의 관상동맥에 혈액 공급이 어려워 뇌졸중이나 심근경색, 협심증이 일어난다.
- 좁아진 동맥을 통해 혈액을 공급받는 장기가 산소와 영양 결핍으로 인해 조직이 섬유화되어 딱딱해진다.
- 좁아진 동맥 때문에 수축기 혈압이 높아지는 고혈압이 나타난다.

※ 유창성 [6점]

총체적 채점 기준	점수
세 가지 방법을 서술한 경우	6점
두 가지 방법을 서술한 경우	4점
한 가지 방법을 서술한 경우	2점

※ 독창성 및 융통성 [4점]

요소별 채점 기준	점수
혈압 상승을 서술한 경우	2점
혈액 공급의 어려움을 서술한 경우	2점

[해설]

순환계는 심장과 혈관, 혈액으로 구성되어 있으며, 생체의 각 조직에 영양분과 산소를 공급하고 이들의 대사 산물인 이산화 탄소나 그 밖의 노폐물을 각 기관으로부터 거둬들이는 기능을 한다. 이와 같은 기능은 혈액 순환에 의해 이루어지는데, 심장은 혈액 순환의 원동력인 펌프 작용을 하고 혈관은 혈액을 운반하는 기능을 한다.

동맥 경화는 세 가지로 나누어진다.

① 내막성동맥경화 : 뇌와 심장 등 비교적 굵은 혈관에서 주로 나타나며, 혈관 내막의 내피세포에 콜레스테롤이 축적되어 혈관 일부가 좁아져 혈액의 흐름을 방해한다.

② 중막동맥경화 : 주로 당뇨병 환자에게 나타나는 것으로, 말초동맥의 중막에 칼슘이 침착되어 석회화가 일어나 혈관의 일부가 좁아져 혈액 흐름을 방해한다.

③ 세동맥경화 : 고혈압이나 노화 때문에 동맥이 딱딱해져 혈관의 탄성이 감소하여 혈액 흐름을 방해한다. 특히 소동맥, 신장, 지라, 이자, 간 등 내장의 동맥에서 잘 일어난다.

동맥경화의 증상은 보통 혈관이 50~75 % 이상 막혔을 때 나타난다.

예시답안

48

- **현재 날씨**
  - 기온이 비교적 높다.
  - 구름이 없고 날씨가 맑다.
  - 남서풍이 분다.
- **앞으로의 날씨**
  - 기온이 낮아질 것이다.
  - 적운형 구름이 생길 것이다.
  - 좁은 지역에 소나기가 내릴 것이다.
  - 북서풍이 불 것이다.

※ 유창성 [6점]

총체적 채점 기준	점수
모두 세 가지씩 서술한 경우	6점
모두 두 가지씩 서술한 경우	4점
모두 한 가지씩 서술한 경우	2점

※ 독창성 및 융통성 [4점]

요소별 채점 기준	점수
풍향을 서술한 경우	2점
구름과 비를 서술한 경우	2점

[해설]

중위도 지방에서 발달하는 온대 저기압은 찬 기단과 따뜻한 기단이 만나는 경계에서 생기며, 전선을 동반한다. 워싱턴 서쪽에는 찬 공기가 더운 공기를 밀어올려 생긴 한랭 전선이 있고, 워싱턴 동쪽에는 더운 공기가 찬 공기를 타고 올라가면서 생긴 온난 전선이 있다. 온대 저기압은 편서풍의 영향으로 서쪽에서 동쪽으로 이동한다. 현재 워싱턴은 온난 전선과 한랭 전선 사이에 있으므로 기온이 높고 구름이 없이 맑으며, 남서풍이 분다. 온대 저기압이 동쪽으로 이동함에 따라 한랭 전선이 통과하게 되므로 기온이 낮아지고 적운형 구름이 생기며, 좁은 지역에 소나기가 내리고 북서풍이 불게 될 것이다. 온대 저기압은 이동 속도가 빠른 한랭 전선이 온난 전선과 겹쳐져 폐색 전선을 형성한 후 세력이 약해져 소멸한다.

예시답안

49

❶ 네팔이 거대 지각판인 인도판과 유라시아판이 부딪치는 지점에 있기 때문이다. 판과 판이 만나는 곳은 판의 이동으로 인해 지진과 화산 활동이 자주 일어난다.

요소별 채점 기준	점수
네팔이 판의 경계에 위치함을 서술한 경우	3점
판의 경계에서 지진이 활발하게 일어남을 서술한 경우	3점

❷

- 지진이 발생하기 전에 암석의 성분이 변해 지진파의 속도가 변하므로 지진파 P파의 속도 변화를 관측하여 지진을 예측한다.
- 작은 지진과 큰 지진이 일어나는 횟수를 연구한다. 작은 지진이 수차례 일어날 경우 큰 지진이 일어날 수 있으므로 지진 활동 비율의 변화를 연구하여 지진을 예측한다.
- 지진이 일어나기 전, 지진이 일어나는 활성 단층 일대를 따라 대기 중으로 불활성 가스인 라돈이 방출되므로 라돈의 양을 관측하여 지진을 예측한다.
- 지진이 일어나기 전, 지표가 기울어지거나 융기하는 등의 변화가 나타나므로 지평면의 변화를 관측하여 지진을 예측한다.
- 땅이 흔들릴 때 생기는 미약한 전파 변화를 감지하여 지진을 예측한다.
- 지진이 일어나기 전, 지하수 수위가 높아지고 물 맛에 변화가 생기므로 지하수를 연구하여 지진을 예측한다.

총체적 채점 기준	점수
두 가지 방법을 서술한 경우	8점
한 가지 방법을 서술한 경우	4점

[해설]

❶ 네팔에서 일어난 지진 중 80년대 이후의 지진들과 비교해 볼 때 특히 이번 지진이 피해가 컸던 이유는 지진의 강도가 세기도 했지만, 진앙이 지표에서 상대적으로 가까웠기 때문이다. 네팔 지진이 발생한 위치(진앙)는 지표면에서 불과 15 km 정도의 깊이여서 그리 깊지 않았다. 또한, 건물 대부분이 내진 설계가 되어 있지 않아 피해가 컸다. 가장 피해가 컸던 카트만두는 네팔에서 인구밀도가 가장 높은 지역임에도 불구하고, 대부분 건물이 흙벽돌로 지어져서 지진 발생에 취약할 수밖에 없었다. 네팔의 건물들이 내진 설계가 되지 않은 데에는 여러 가지 원인이 있다. 급속한 도시화로 인해 주택이 모자라 주택이 단시간 내에 지어졌고, 소득 수준이 낮아 건물의 안전에 큰 비용을 쓸 수가 없었던 점 등이 있다. 이 외에도 행정규제가

허술해서 내진 설계를 하지 않아도 별다른 처벌을 받지 않는 현실이 피해를 더 키우는 데에 한몫했다.

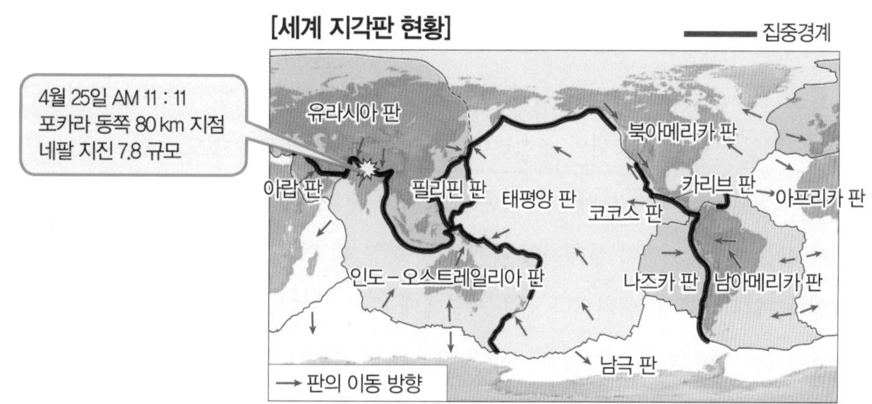

❷ 지진 예측은 '예지'라고 하는데 장기 예지, 중기 예지, 단기 예지, 조기 경보가 있다. 장기 예지는 특정 활성 단층에서 10년 내지 30년 이내에 규모 몇 정도의 지진이 발생할 것이라고 예측하는 것으로, 활성 단층과 활성 단층 주변의 지층에 남아 있는 과거 지진 증거와 역사 지진 기록을 관찰해 주기성을 예측한다. 중기 예지는 특정 활성 단층에서 앞으로 한 달 내지 수년 이내에 지진이 발생할 것을 예측한다. 단기 예지는 일기예보처럼 앞으로 수시간 내지 수일 내에 지진이 일어날 것을 예보하는 것인데, 현재의 기술로는 불가능하다. 조기 경보는 지진이 발생하자마자 지진파보다 전달 속도가 빠른 전자파를 이용해 원자력 발전소와 고속 철도 등의 작동을 멈추게 하고 가스 공급과 전원을 차단하는 기술로, 일본에서 개발해 이용되고 있다. 세계 어느 곳도 지진 안전 지대가 없으므로 각 나라는 나름의 방법으로 지진을 예측하고 있다.

예시답안

❶ 원시는 안구의 길이가 짧아서 물체의 상이 망막 뒤쪽에 맺혀 먼 곳은 잘 보이나 가까운 곳은 잘 보이지 않는다. 노안은 수정체의 탄력성이 떨어져 원근 조절에 문제가 생겨 가까운 거리에 있는 물체를 보는 데 불편을 느낀다.

요소별 채점 기준	점수
원시의 원인을 바르게 서술한 경우	3점
노안의 원인을 바르게 서술한 경우	3점

❷ 레이저로 각막 주변부를 깎아 중심부의 각막을 두껍게 만들면 수정체로 들어가는 빛을 각막에서 한 번 모아주기 때문에 수정체에서 굴절된 후 망막에 상이 맺힌다.

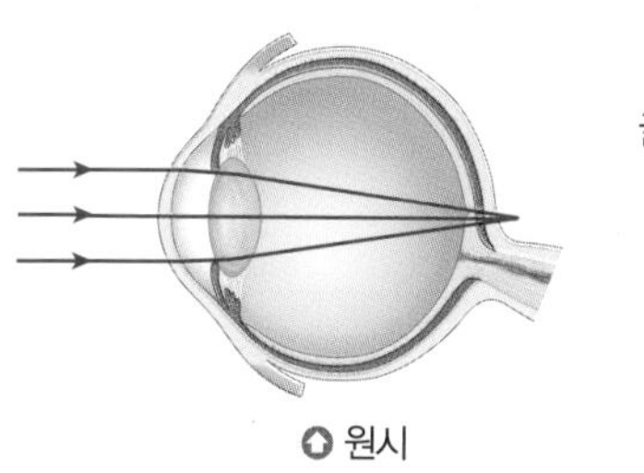
⊙ 원시

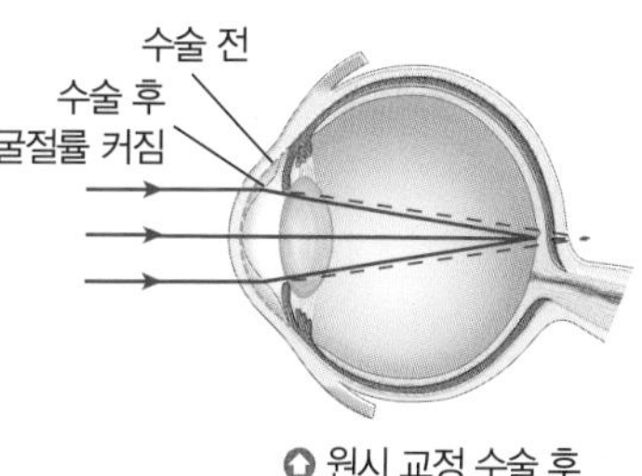

⊙ 원시 교정 수술 후

요소별 채점 기준	점수
각막 주변부를 깎음을 서술한 경우	4점
각막 중심이 두꺼워짐을 서술한 경우	4점

정답 및 해설

[해설]

❶ 어린이들은 출생 시 대략 80 %가 원시 상태로 태어나며, 안구가 성장하면서 대략 5세 전후에 정시 상태로 돌아가고 14세 전후에 완전한 눈이 된다. 젊었을 때는 가까운 것을 보고 난 후 멀리 있는 사물을 볼 때, 수정체가 쉽게 얇아지므로 금방 상을 분명히 볼 수 있고, 멀리 보다가 갑자기 가까운 것을 볼 때도 수정체가 빨리 두꺼워지면서 상을 망막에 금방 맺히게 할 수가 있다. 젊었을 때는 수정체의 조절력이 충분하여 상을 망막에 맺도록 할 수 있으므로 원시를 잘 느끼지 못한다. 하지만 노안이 진행되면 멀리 보다가 가까운 것을 보거나 가까운 것을 바로 볼 때 처음에는 상이 흐리다가 시간이 조금 지난 뒤에 잘 보인다. 노안이 심해지면 가까운 것을 볼 때 멀리 띄워서 봐야 하거나 볼록 렌즈인 돋보기의 도움을 얻어야 잘 보인다. 원시는 주로 어린이나 젊은 사람에게 나타나지만, 노안은 대부분 40대 이후에서 나타난다.

❷ 라식 수술은 각막절삭기를 이용해 각막 실질과 상피를 동시에 분리하여 각막 절편을 만들어 들어 올린 후 레이저로 각막 안쪽을 깎고 각막 절편을 덮는다. 라식 수술은 수술 후 통증이 없고 수술 후 다음 날부터 바로 시력이 회복되어 일상생활이 가능하다. 각막이 얇은 사람은 각막 상피만 분리하고 레이저로 각막 안쪽을 깎고 각막 절편을 덮는 라섹 수술을 한다. 라섹 수술은 통증이 있고 시력 회복이 라식 수술보다 늦다. 원시 교정술은 근시와 달리 각막 주변부를 깎는 것이므로 일반적으로 시력 회복이 더 느리게 나타난다.

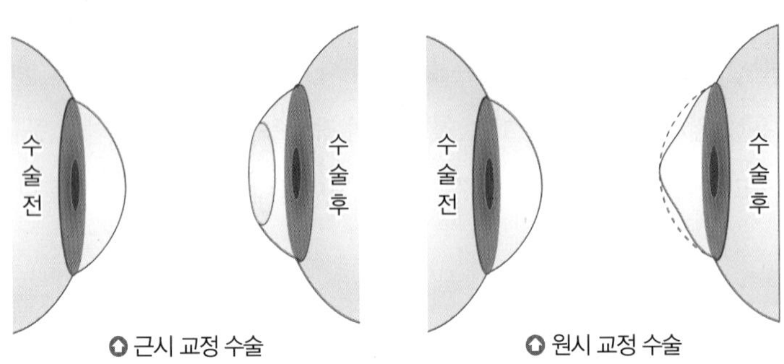

근시 교정 수술 원시 교정 수술

안쌤의
창의적 문제해결력 시리즈

초등 1~2 학년

초등 3~4 학년

초등 5~6 학년

중등 1~2 학년

영재교육원 영재학급 관찰추천제 대비
5일 완성 프로젝트
파이널
안쌤의 창의적 문제해결력
과학 50제

초등 **1~2** 학년 | 초등 **3~4** 학년 | 초등 **5~6** 학년 | 중등 **1~2** 학년

안쌤의 창의적 **문제해결력 시리즈**

초등 1·2학년
안쌤의 창의적 문제해결력 수학 1·2학년
안쌤의 창의적 문제해결력 과학 1·2학년
안쌤의 창의적 문제해결력 파이널 수학 50제 1·2학년
안쌤의 창의적 문제해결력 파이널 과학 50제 1·2학년
안쌤의 창의적 문제해결력 모의고사 1·2학년 (수학·과학 공통)

초등 3·4학년
안쌤의 창의적 문제해결력 수학 3·4학년
안쌤의 창의적 문제해결력 과학 3·4학년
안쌤의 창의적 문제해결력 파이널 수학 50제 3·4학년
안쌤의 창의적 문제해결력 파이널 과학 50제 3·4학년
안쌤의 창의적 문제해결력 모의고사 3·4학년 (수학·과학 공통)

초등 5·6학년
안쌤의 창의적 문제해결력 수학 5·6학년
안쌤의 창의적 문제해결력 과학 5·6학년
안쌤의 창의적 문제해결력 파이널 수학 50제 5·6학년
안쌤의 창의적 문제해결력 파이널 과학 50제 5·6학년
안쌤의 창의적 문제해결력 모의고사 5·6학년 (수학·과학 공통)

중등 1·2학년
안쌤의 창의적 문제해결력 파이널 수학 50제 중등 1·2학년
안쌤의 창의적 문제해결력 파이널 과학 50제 중등 1·2학년
안쌤의 창의적 문제해결력 모의고사 중등 1·2학년 (수학·과학 공통)

펴낸곳 타임교육C&P **펴낸이** 이길호
지은이 안쌤 영재교육연구소 (안재범, 최은화, 유나영, 이상호, 추진희, 오아린, 허재이, 이민숙, 이나연, 김혜진, 김샛별)
주소 서울특별시 강남구 봉은사로 442 **연락처** 1588-6066

팩토카페 http://cafe.naver.com/factos
안쌤카페 http://cafe.naver.com/xmrahrrhrhghkr

자율안전확인신고필증번호: B361H200-4001
1. 주소: 06153 서울특별시 강남구 봉은사로 442
2. 문의전화: 1588-6066
3. 제조년월: 2020년 12월
4. 제조국: 대한민국
5. 사용연령: 8세 이상
※ KC마크는 이 제품이 공통안전기준에 적합하였음을 의미합니다.

안쌤의
줄기과학 시리즈

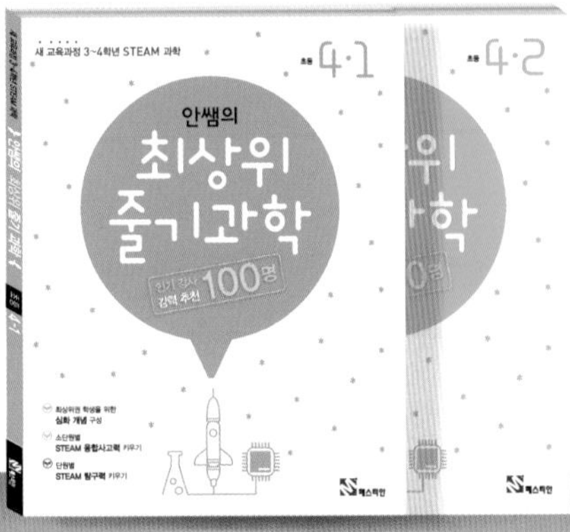

3-1 8강 3-2 8강 4-1 8강 4-2 8강

새 교육과정
5~6학년
학기별
STEAM 과학

5-1 8강 5-2 8강 6-1 8강 6-2 8강

새 교육과정
중등 영역별
STEAM 과학

물리학 24강 화학 16강 생명과학 16강 지구과학 16강 물리학 워크북 화학 워크북